D1177044

LAS FIERAS
FUTBOL
CLUB

Título original en alemán
Die Wilden Fussballkerle: Vanessa die Unerschrockene

Las Fieras Futbol Club: Vanesa la Intrépida
Primera edición, mayo de 2013

Traducción de Rosa M. Sala Carbó

Bradley 52, Anzures DF-11590, México
www.edicionesb.mx
editorial@edicionesb.com

ISBN: 978-607-480-427-0

Impreso en México | *Printed in Mexico*

Joachim Masannek

VANESA
la Intrépida

Ilustraciones: **Jan Birck**

Barcelona · México · Bogotá · Buenos Aires · Caracas
Madrid · Miami · Montevideo · Santiago de Chile

ODIO A LAS NIÑAS

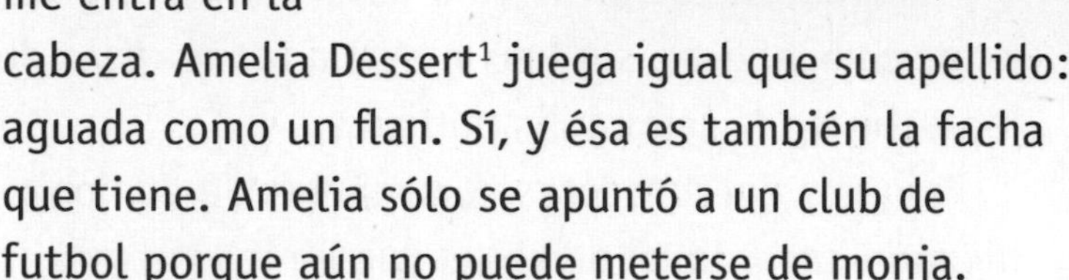

Hola, me llamo Vanesa y lo siento pero ahorita no tengo tiempo para ustedes. ¡Maldita sea! Que pase tan flojo, Amelia. No me entra en la cabeza. Amelia Dessert[1] juega igual que su apellido: aguada como un flan. Sí, y ésa es también la facha que tiene. Amelia sólo se apuntó a un club de futbol porque aún no puede meterse de monja.

Yo estaba como una moto, hábil y corriendo por todos lados, pero no me servía de nada. La pelota la tenían nuestras rivales, las Mocitas de Pinneberg, y estaban atacando. Mocitas, sí, ya lo sé, pero una tiene que aguantar cosas así cuando se mete en el futbol femenino. Nosotras

1 *Dessert* significa «postre» en alemán. (N. de la T.)

éramos las Golondrinas de Holstein y aunque duela reconocerlo, el nombre nos quedaba tan bien como a un puerco la cola en espiral: jugábamos como pajaritos. Bueno, así es como jugaban ellas. Por suerte, yo no tenía nada que ver: estaba, desde el tercer minuto, sentada en el pasto y de mal humor. La señora Zimperlich,[2] nuestra entrenadora, me había sustituido al primer conflicto con Amelia, que ahora temblaba sobre el terreno de juego. El resto ya se lo pueden imaginar.

Las Mocitas de Pinneberg atacaban. Sus tres delanteras avanzaban en formación sobre nuestra área chica. Pero aunque en comparación con muchos equipos, habían entendido lo importante que es la posición en el juego, no nos esperábamos que, además, centraran. A eso mi abuela lo llama rivalidad entre mujeres y les aseguro que sabe de lo que habla.

—Éntrenles. Ésa no la va a pasar nunca —gritaba a mis compañeras, sin hacer caso a las miradas de reproche de la señora Zimperlich.

Pero mis encantadoras compañeras de equipo no hicieron caso. Igual de sosas que en los entrenamientos, cubrieron a dos de las atacantes y dejaron totalmente sola con la pelota a la tercera. «Centrará», se decían, y se quedaron mirando boquiabiertas a la señora Zimperlich cuando, naturalmente, la Mocita no centró y la pelota entró directamente en la portería.

2 *Zimperlich* significa «remilgada» en alemán. (N. de la T.).

Nueve a cero para el Pinneberg. Aquello se pasaba de la raya. Reboté la pelota un par de veces, apreté los puños y respiré hondo..., pero eso fue todo.

—Vanesa —me advirtió la señora Zimperlich—, una palabra más y no vuelves a pisar el campo.

La mirada que le lancé a la entrenadora fue mortal, pero me mordí la lengua y no abrí la boca. Quería jugar a como diera lugar. Al otro lado del campo vi llegar un camión. Era el de nuestro equipo varonil, que seguramente regresaba, como siempre, con la victoria. Eran la *crème de la crème* de los equipos infantiles de la región. Incluso habían empatado con el Hamburgo y el Bremen.

Mamá mía, de verdad que ya soñaba con aquellos niños. Y a cualquiera que entienda mal, aunque sólo sea un poco, lo que acabo de decir, le arranco los ojos. Tengo ocho años, ¿saben?, y a esa edad los niños y las niñas no quieren nada entre ellos. Punto. Aunque mi abuela no lo vea así. Asegura que llegará un día en que las cosas cambien. Pero eso no va conmigo. Para mí eso son tonterías, ¿está claro?

Bien. Aun así, aquellos niños eran mi máximo sueño. Desde hacía tres años lo único que quería era formar parte de su equipo y un sábado como aquél me daba una oportunidad única para conseguirlo. Podía demostrarles lo buena que era. Y quizá incluso olvidaran el rechazo que tenían por las niñas. Quizá hasta me consideraran un descubrimiento y me pidieran que jugara con ellos.

Pero la señora Zimperlich me tenía en la banca. A cambio, las Mocitas de Pinneberg ganaban trece a cero. Al otro lado del campo, los chicos se doblaban de risa. Se ponían pasto como si fueran trenzas en el pelo e imitaban a Amelia, que temblaba gimoteando detrás de la pelota. Por fin, tres minutos antes del final, y cuando íbamos diecisiete a cero, la señora Zimperlich se mostró compasiva.

—Bueno, Vanesa, ponte de delantera con Amelia. Pero te lo advierto, una mala palabra y...

—No se preocupe, señora Zimperlich —grité mientras me levantaba de un salto—. No le diré que tiembla como un flan sobre el campo.

La señora Zimperlich tomó aire, pero, sinceramente, me daba igual. Hacía ya un rato que tenía otro problema. Los niños silbaron entusiasmados cuando salté al campo.

—Uauh, miren —gritaron—, hasta tienen una jugadora de reserva.

—Sí, y quedan tres minutos enteros para el final.

—Les apuesto que es el goleador del equipo.

—Seguro. Jajajá, hacía años que no me reía tanto.

Me puse a correr roja como un jitomate. Resplandecía como las luces de stop de un Ferrari frenando en seco a 350 por hora. Pero en lo que menos pensaba era en frenar: aquellos idiotas iban a presenciar un milagro. Corrí directamente hacia Amelia, que, temblando y gimiendo, intentaba avanzar con la pelota. Se la quité de los pies y corrí hacia la portería del Pinneberg. Las Mocitas se me cruzaron una detrás de otra, pero para mí eran como los bolos de un boliche. Las dejé atrás a todas y tiré directamente a la escuadra de la portería. La portera del Pinneberg, que era la primera vez que intervenía, se cayó al suelo lleno de lodo y la señora Zimperlich pegó un saltó y chilló como una gallina:

—¡Gol! ¡Gol! ¡Gol!

Pero yo no me alegré. Cada vez estaba más enojada. Íbamos diecisiete a uno a favor de las otras sólo por un motivo: porque yo había estado sentada en la banca todo el tiempo. Pero el partido no había terminado. Aún tenía dos minutos. Así que salté por encima de la portera del Pinneberg, recogí la pelota del fondo de la red y la llevé corriendo a la media cancha.

El saque fue el único contacto de las rivales con el balón. En cuanto el silbato del árbitro sonó, entré en el círculo central y presioné a fondo a la delantera que llevaba la pelota. Se la quité e inicié el contraataque. Al cabo de veinte segundos íbamos diecisiete a dos. Aún tuve tiempo de lograr el diecisiete a tres. Entonces el árbitro sonó el silbato para anunciar el final. Miré a los niños otra vez: ¿qué pensarían ahora? ¿Comprenderían por fin que era lo bastante buena para ellos? Pero me llevé una sorpresa, igual que si estuviera soñando y me despertara de repente, con la cama y todo, debajo de una regadera con agua fría: se habían ido. Los niños se habían ido. Ni siquiera se quedaron para ver si tenía idea de lo que es jugar futbol. Me puse a temblar de decepción y de rabia. Y mientras las de mi equipo aplaudían a las Mocitas de Pinneberg, dándoles las gracias por aquella golpiza de diecisiete a tres, corrí hacia las regaderas.

El agua caliente me sentó bien y me tranquilizó. Recuperé la calma, no hice caso de las cotorras de mis compañeras de equipo, me colgué la bolsa al hombro, me tapé las largas greñas color marrón-rojizo con el gorro de mi sudadera y fui a buscar la bicicleta, lo mejor que tenía aparte de mis cosas del futbol. Era una Pakka Fully auténtica, negra como el azabache y con la llanta de atrás más gruesa, como si fuera una Enduro. Sabía que en cuanto me alejara de ahí y la brisa me refrescara la cabeza, todo estaría mucho mejor, aunque eso no me quitaría las ganas de ser un niño. Me agaché para sacar el candado y puse la combinación: la fecha en que nació mi mamá. Hacía cincuenta y dos semanas y media que había muerto. En ese momento alguien dijo detrás de mí:

—Tienes la bici más increíble de todo el club.

Me di la vuelta. Frente a mí tenía a Alex, el capitán del legendario equipo infantil.

Intenté decir algo, pero la boca y la lengua habían olvidado cómo ser ellas mismas. Alex marcó una media sonrisa y al principio pensé que se reía de mí. Pero a él también se le hizo un nudo en la garganta.

—Ejem... —tosió ligeramente—. ¿Qué te parecería entrenar con nosotros alguna vez?

Me le quedé viendo, incapaz de decir algo y medio paralizada. Ni siquiera podía decir que sí con la cabeza.

—¡Buf! —suspiró Alex—. Eres realmente genial. De verdad te entiendo. No fuimos muy amables contigo. Pero a lo mejor mañana, sin darte cuenta, la bici te lleva hasta donde entrenamos.

Me miró ilusionado y les aseguro que le habría dado un beso por lo contenta que estaba. Pero en vez de hacerlo me subí a la bici y me fui rápido.

—¡Eh!, casi se me olvida. Entrenamos ahí enfrente. De cuatro y media a seis y media. En la cancha número tres, ¿entendiste? —gritó a mis espaldas.

Claro que lo había entendido, pueden creerme. Por fin lo conseguí. Después de tres años. Después de tres años de torturas y humillaciones con las Golondrinas de Holstein por fin me dejaban entrenar con el equipo de niños. Pedaleé como una loca. De repente tenía una fuerza infinita. Aquél era el primer paso para hacer realidad mi sueño y lo había dado. Sí, yo, Vanesa Butz, quería ser la primera mujer que jugara en la selección nacional masculina. Sí, lo escucharon bien y no me vengan con que eso es imposible. Ya se los demostraré. Aquel día estaba firmemente convencida de lograrlo. Corrí con la bici a toda velocidad por los campos hasta llegar al muelle. Cuando vi el mar, cuando lo escuché y noté su sabor, me paré para gritar a los cuatro vientos mi felicidad. Qué gran día (y al siguiente cumpliría nueve años).

¡NO!

La puerta del conductor se cerró muy silenciosamente: «sss-clac». Al fin y al cabo, era un Mercedes. Pero aquel suave «sss-clac» fue el ruido más doloroso y cruel de mi vida. Con aquel «sss-clac» el mundo se hundió para mí, como si alguien hubiera apagado un interruptor con sólo un ligero roce.

Después, el silencio. Un silencio mortal. La rabia y la desesperación gritaban dentro de mí y gruñían tan fuerte que tenía que taparme los oídos. Gritaban: ¡NO!

Pero nadie lo oía.

Yo estaba en el asiento del copiloto y apoyaba la cara contra el cristal de la ventana, que estaba muy frío. Contemplé, como si estuviera soñando, mi propio entierro.

El coche vibró un poco cuando mi papá lo puso en marcha. Después, nos fuimos. Silenciosamente, flotando como si hubiera abandonado mi cuerpo, recorrí por última vez la calle donde había vivido desde que nací. Sin palabras y sin hacer ruido, salí flotando de la ciudad. De vez en cuando sentía con un estremecimiento la mirada de mi papá en mi nuca.

—¿Está todo bien? —me preguntó al tomar la entrada de la autopista.

Dejé salir una nube de vaho que parecía un panecillo de revista de cocina, pero el bocadillo se quedó vacío.

—Ya entiendo —dijo mi papá, y de verdad que cualquier otro día me lo hubiera creído.

Aceleró.

Yo miraba por la ventana y no decía nada. A partir de aquel día tenía una nueva dirección: calle Waldfriedhof, número 7, en las afueras de Múnich, a 800 kilómetros de Hambugo y de Alex y la *crème de la crème* del equipo infantil de Holstein.

Lo había olvidado, aunque hacía más de dos años que lo planeábamos. Hacía dos años que mi papá y

mi mamá habían empezado a construir una casa en Múnich: su hogar. Era la casa de sus sueños en la ciudad de sus sueños y haciendo el trabajo de sus sueños y nos dirigíamos ahí. El partido de aquella mañana contra las Mocitas de Pinneberg había sido el de mi despedida y, antes de que llegara el autobús del club y antes de que hablara con Alex, eso no me preocupaba lo más mínimo. En Múnich no podía esperarme nada peor. Seguramente allí los equipos femeninos se llamarían Las Futboleras o, muy mono, Las Tiro-liro-lesas, pero ése no era el problema. El problema era que, después de la conversación con Alex, todo había cambiado desde la raíz. Después de la conversación con Alex, seguir jugando con niñas me parecía inimaginable: ya me consideraba parte de un equipo masculino.

Para eso luché y sufrí por tres largos años. Para eso había soportado durante tres largos años a Amelia Dessert y a la señora Zimperlich. Durante tres años había permitido que los niños se rieran de mí. Porque estaba segura de que en algún momento lo conseguiría. Sabía que era al menos tan buena como ellos, si no es que mejor. Y durante una mañana estuve firmemente convencida de que llegaría a jugar en la selección masculina.

Pero entonces cada kilómetro que recorríamos me alejaba un kilómetro más de mi sueño. Y con cada kilómetro era más consciente de que no podría volver a empezar de nuevo, de que no soportaría (y tampoco quería) volver a jugar en un equipo femenino. Me sentía como si alguien me hubiera puesto el pie cuando estaba a punto de llegar a la meta. ¿Por qué no nos quedábamos en Hamburgo y punto? Hacía más de un año que mi mamá había muerto y la casa de sus sueños no la haría resucitar. ¿Qué sacaba mi papá de vivir en una casa de ensueño y en una ciudad de ensueño si era terriblemente desgraciado? Por mucho dinero que ganara con el trabajo que siempre había deseado, eso no se iba a remediar. Ni siquiera aquel super Mercedes, que parecía un coche oficial, era un consuelo. Si algo había aprendido yo con la poca experiencia que tengo, era que los sueños no pueden comprarse. Por un sueño hay que luchar hasta el final, y a mí, aquel día, me faltaban el ánimo y la fuerza para hacerlo. Por eso, antes de empezar el viaje, había tirado todas mis cosas de futbol a la basura.

CIUDAD FANTASMA Y CASA FANTASMA

Primero se hizo de noche y después se levantó la niebla. De Múnich no vi casi nada, sólo faros de coche, semáforos y farolas. Hasta que no llegamos a Grünwald, la espesa bruma no se deshizo, se metían como serpientes con cabeza de dragón por donde estaba nuestra nueva casa. Detrás de nosotros, sólo veía muros interminables. Ni un solo peatón o ciclista en la calle. Tenía la sensación de estar en el laberinto de una cárcel y me pregunté: ¿dónde están los niños y las niñas?

Mi papá giró por una de las interminables esquinas y entró en una calle aún más tranquila y pequeña. Detuvo el coche. Adelante de nosotros apareció, surgida de la niebla, una puerta de madera en la que decía: «Calle Waldfriedhof 7». Por primera vez desde que habíamos salido miré a mi papá. Estaba mordiéndose el labio, pero notó que lo veía y también me miró.

—Tu mamá estaba convencida de que te gustaría vivir aquí.

Los ojos se me llenaron de lágrimas. Lágrimas de enojo. ¿Por qué hablaba de mamá justo en ese momento? Mamá estaba muerta y seguro que no me hubiera obligado a ir a Múnich. Era mi papá el que consiguió el trabajo de sus sueños aquí y por eso sus palabras me cayeron muy mal. Sí, verdadera, total y absolutamente mal. Sobre todo porque mi papá solía ser mi mejor amigo. Después de morir mi mamá, era el único ser sobre la Tierra que me entendía o que, al menos, me dejaba ser como era, y eso no siempre era fácil.

La puerta de madera se abrió sola, como accionada por la mano de un fantasma. El Mercedes pasó lentamente por enfrente del letrero que decía «Calle Waldfriedhof» y se deslizó en el interior de una lúgubre entrada. Los adoquines hicieron vibrar las llantas. Más allá del cono de luz de los faros sólo había oscuridad. Entonces vi un farol pequeñito moviéndose a lo lejos y lo escuché rechinar. Se movía y rechinaba encima de la puerta de madera de una casa. La mejor descripción que se me ocurrió fue que parecía una casa embrujada.

Ahí estaba: torcida y sola. Sin embargo era flamantemente nueva y acababan de construirla. El techo se inclinaba como si soportara el peso de quinientos años y uno de sus lados llegaba hasta casi tocar el suelo, como si la casa se apoyara sobre una muleta. Vigas de soporte serpenteaban como venas por las paredes, donde había ventanas que parecían ojos de todos los tamaños: grandes y pequeñas, con los párpados medio cerrados y de formas desiguales.

Conque aquélla era la casa de mi mamá: una casa de brujas. Sin darme cuenta miré al cielo esperando verla sobre una escoba.

Pero mi mamá estaba muerta y el viento rugía al bajar del coche.

Aquel año el otoño había llegado muy pronto, en septiembre. Las hojas de los árboles formaban remolinos como si fueran murciélagos o polillas gigantescas en medio de la noche de luna llena. Aunque

las brujas y los fantasmas no existen, corrí hacia adentro de la casa y cerré la puerta a toda prisa.

¡Pam!

Mi papá me miró sobresaltado. La casa, que desde afuera parecía más bien pequeña, por dentro era gigantesca. Y estaba vacía. Completamente. Ni alfombras, ni muebles, ni un solo cuadro en las paredes.

—Tu mamá decía que deberíamos acondicionarla solos. Una casa debe crecer con la gente que vive en ella. ¿Tú qué dices?

Me quedé callada. ¿Cómo iba a ayudarle a acondicionar la casa? La odiaba.

—Lo único que decidió tu mamá fue cómo sería la cocina. Lo demás queda en nuestras manos. ¿Tú qué dices, lo conseguiremos? —preguntó mi papá enseñandome esa sonrisa que tanto odio, no sólo en él sino en todos los adultos. Es la sonrisa «diente de león-burbuja de jabón» con la que quieren hacernos creer a nosotros, los niños, que nuestras dificultades no son problemas de verdad y, aunque aún no nos demos cuenta, cuando lo hagamos, nuestros problemas se esfumarán como dientes de león al soplarles o burbujas de jabón al tocarlas con el dedo.

—Estoy cansada —dije—. ¿Me enseñas mi cuarto?

La sonrisa «diente de león-burbuja de jabón» desapareció de la cara de mi papá. Asintió y me quitó la bolsa. Cruzamos la sala de estar y llegamos a una puerta pequeña, muy antigua. En realidad no era tan pequeña, pero me parecía así porque había que bajar tres escalones para abrirla. Mi papá se detuvo un momento en ellos.

—Todo lo que hay detrás de esta puerta es tuyo y las reglas las pones tú.

Me encogí de hombros. A mí, la puerta me parecía la reja de un calabozo; una puerta que mi papá abrió silenciosa e imparablemente.

La recámara que había detrás era fantástica. Tenía cinco o seis esquinas irregulares y las paredes, que estaban llenas de huecos, llegaban hasta el cielo. Eso es lo que me pareció a primera vista, aunque pronto comprendí por qué. El cuarto estaba en la parte de la casa en la que el techo llegaba hasta el suelo y sobre mi cabeza se ramificaban las vigas del techo como formando la frondosa copa de un árbol viejísimo. «De hecho, se podía construir una casa ahí arriba», pensé, y tal vez unos días antes seguro que me habría puesto manos a la obra en seguida. Pero en aquellos momentos todo me daba igual. Me acerqué al colchón que había en el suelo, justo en el centro del cuarto y me senté.

Mi papá habría preferido ver que me ponía muy contenta, pero se controló.

—Para ti, todo esto es muy difícil, ¿verdad?

No levanté la vista, la mantuve en mis zapatos.

—Ya sabes, Vanesa, que para mí también lo es. Los dos tuvimos que empezar desde el principio y en eso ninguno puede ayudar al otro. Cuando tienes la pelota, tienes que arreglártelas totalmente solo, lo sabes tan bien como yo. Pero los otros pueden desmarcarse y apoyarte. Yo puedo desmarcarme y tú también.

Se agachó manteniendo respetuosamente una distancia y me miró.

—¿Qué dices, Vanesa, lo conseguiremos? ¿Somos un equipo?

Levanté la cabeza muy lentamente y lo miré.

—Yo ya no tengo equipo —dije. Los ojos se me llenaron de lágrimas—. ¿Lo entiendes? Ya no tengo equipo.

Hundí la cara en la almohada. Por un momento no se oyó nada. Entonces escuché los pasos de mi papá alejarse y cómo cerraba la puerta.

UNA NOCHE DE CUMPLEAÑOS TERRORÍFICA

Dos horas después seguía despierta. Era un poco antes de la medianoche y el viento aullaba y silbaba alrededor de la casa como si estuviera maldita.

No les estoy contando una historia de terror. Soy Vanesa la Intrépida. Pero ¿de qué le sirve a una no tener miedo cuando la situación es desesperada? Bueno, rendirse es peor que el miedo. Rendirse es sinónimo de impotencia: te hace sentir muy pequeño y paralizado. Y cuando estás así, aparece el miedo, un miedo grandioso, un miedo monstruoso.

El aullido y el silbido del viento eran cada vez más alarmantes. Faltaba medio minuto para las doce. Medio minuto para mi noveno cumpleaños. Cerré los ojos y deseé que viniera un monstruo cruel a devorarme: así por lo menos se acabaría todo. Y ya saben que a veces los deseos se cumplen.

El viento aullaba y silbaba, los maderas golpeteaban y las vigas del techo gemían y se quejaban.

Dieron las doce. En alguna parte, muy lejos, sonó el reloj de una iglesia. Pero ninguna iglesia podía salvarme. Se escuchó un arrastrar de pasos, que se detuvo frente a mi recámara. Por el agujero de la cerradura y por las rendijas de la puerta empezó a entrar un humo rojo. La cerradura se movió hacia abajo. Aguanté la respiración y me di por muerta. Al cabo de un microsegundo la puerta se abrió. Un humo centelleante y una luz deslumbrante entraron en la recámara. Un rugido escalofriante les pisaba los talones. Entonces, enmarcado en la puerta,

vi al monstruo: dos cuernos sobre una cabeza gigantesca. Tenía los ojos verdes y, en las patas, unas garras brillantes que parecían sacacorchos.

«Cálmate. Estas cosas no existen», pensé. Pero el monstruo aulló aún más fuerte. Rugió y rugió y finalmente entró al cuarto. ¡Dumpf!... ¡dumpf!, resonaban los pies del monstruo sobre el viejo suelo de madera. ¡Dumpf!..., ¡dumpf!..., ¡dudumpf!, retumbaba el monstruo al acercarse. ¡Dumpf!, ¡dudumpf!... ¡Dumpf! ¡Dudumpf! Diez pasos más y caería sobre mí. Como si se burlara, el monstruo levantó las patas y se puso a tronar sus garras rítmicamente. ¡Dumpf dudumpf! ¡Clac! ¡Dumpf dudumpf! Ahora se veían unos grandes dientes, que, se los aseguro, siguieron siéndolo aunque el monstruo empezara a cantar:

«Jeyjeyjey», cantaba siguiendo un ritmo terrorífico.

«Jeyjeyjey», ¡dumpf dudumpf! ¡Clac! ¡Dumpf dudumpf!

«Jeyjeyjey» y ¡feliz cumpleaños! ¡Dumpf dudumpf! ¡Clac! ¡Dumpf dudumpf! ¡Feliz cumpleaños! ¡Feliz cumpleaños! Feliiiiiz... ¡RAAA!

El monstruo abrió la boca. Lo tenía justo encima. Me clavaría sus larguísimos colmillos. Entonces vi la cara de mi papá. Me sonreía amablemente detrás de los temibles dientes. El monstruo sacó la mano izquierda de atrás de la espalda y me puso ante la nariz algo que parecía una pelota de futbol negra como el azabache en la que brillaban unas llamitas: un pastel de cumpleaños de chocolate coronado por nueve velas chisporroteantes.

—Estás son, las mañanitas, que cantaba... —Sonrió mi papá.

Pero no agarré el pastel. No me daba la gana.

—¿Por qué haces tanto escándalo? —me limité a balbucear—. ¿Quieres burlarte de mí?

Me di la vuelta y me envolví bajo las sábanas. Mi papá suspiró. Se quitó la cabeza de monstruo y se sentó en el colchón.

—No te entiendo —me dijo—. Ahora empieza el año más emocionante de tu vida y haces lo imposible por dejarlo ir.

Puse los ojos en blanco.

—¿Hablas del pastel y la cabeza de monstruo? ¿Qué es lo que cambian?

Mi papá me observó con los ojos entrecerrados. O mejor dicho, observó mi espalda, porque yo seguía dándosela.

—No, no me refiero a eso —dijo—. Me refiero a tu nuevo equipo, al equipo con el que vas a entrenar hoy por la tarde.

—¿Y cómo se llama ese equipo? ¿Las Tiro-liro-lesas FC? No, gracias, puedo pasármela bien sin ellas. —Apreté los puños enojada. ¿Cómo podría un equipo así sustituir al infantil de Hamburgo?

Mi papá rio.

—Las Tiro-liro-lesas FC. Eso suena muy bien, pero si me permites un consejo, será mejor que llames a los niños a los que me refiero por su verdadero nombre. Si no, vas a tener problemas.

—Un momento —dije levantándome—. ¿Dijiste niños? ¿No son niñas?

Mi papá negó con una sonrisa.

—No, y aún hay más. Los niños de los que hablo se hacen llamar Las Fieras. Son un auténtico equipo callejero, ¿sabes? Y por lo que cuentan de ellos, el nombre les va muy bien.

—¿Y entrenan mañana en la tarde?

—No, hoy. Dentro de exactamente quince horas y cincuenta y ocho minutos. De hecho, todos los días excepto sábados y domingos.

—Dios mío. —Estaba impactada. Un equipo sin niñas y aquella misma tarde a las cuatro—. ¿Por qué no me dijiste nada?

Pero antes de que mi papá pudiera contestar salté con un:

—No tengo qué ponerme.

Mi papá frunció el ceño.

—¿Qué? No estamos hablando de ir al teatro o a un concierto. Vanesa...

—Sí, sí, ya lo sé. Pero no tengo qué ponerme —grité—. Tiré todas mis cosas de futbol a la basura.

Mi papá tomó aire.

—No, no lo hiciste.

—Sí —le repliqué en el tono que solía usar para advertir a mi papá que no siguiera discutiendo—. ¿O acaso traje alguna maleta?

—Vanesa —dijo mi papá sin acabar de creerlo—: el noventa y nueve por ciento de la ropa que tenías era de futbol. Si la llevabas hasta para ir a la escuela.

—Sí, ya lo sé —exclamé—. Por eso dejé los cubos de basura de los vecinos llenos hasta el tope. Por cierto, tendrás que llamarles para pedirles disculpas.

—¿Qué dices? —Rio mi papá. Y me advirtió a su vez—: Y ahora, por favor, tranquilízate.

—Ni hablar —le contesté sin dejarme intimidar—. Si me hubieras dicho en Hamburgo que hoy entrenaría con Las Fieras no hubiera tirado nada a la basura. Está claro como el agua, ¿no?

Le dediqué una sonrisa triunfal. Prácticamente estaba de rodillas a mi lado.

—Caramba. —Se rascó la nariz—. Tienes razón. No puedo replicar nada. —Mi sonrisa se ensanchó y mi papá se rascó detrás de la oreja—. Pero por desgracia eso no cambia el hecho de que no tienes nada que ponerte.

Se me quedó viendo y mi sonrisa se esfumó.

—Humm —gruñó—. Entonces tu entrenamiento de hoy se va al diablo. A no ser que estés dispuesta a olvidar tus penas soplando tu pastel y celebres tu cumpleaños.

Con esas palabras sacó un regalo de la cabeza del monstruo y me lo dio.

—Humm, ¿qué será? ¿No quieres abrirlo?

Lo pensé. Es decir, fingí que lo pensaba. En realidad, apenas podía dominarme. Al final grité «Está bien» y le arranqué a mi papá el paquete de las manos. Era blando y plano. El papel de la envoltura voló por los aires hecho pedazos. Entonces la tuve en mi mano: la flamante camiseta del Bayern para la próxima temporada, con mi número detrás y, por supuesto, mi nombre.

—¡Uauh! —grité, y me la puse—. ¿De dónde la sacaste? No están a la venta.

—Tienes razón. Pero la camiseta, igual que el Mercedes, es uno de los beneficios de mi trabajo.

—No lo creo. Te luciste conmigo —reí.

—Bueno, quizás un poco. —Sonrió pícaramente—. De los tacos tendrás que encargarte tú. Y no va a ser fácil, porque la mamá de tu mamá llega mañana temprano.

—La abuela Schrecklich[3] —grité sobresaltada—. ¿En serio?

—Así es. —Suspiró mi papá—. Se empeñó en estar con nosotros durante estos primeros y «difíciles» días en Múnich.

—¡Oh, no! —Suspiré desairada—. Cualquier discusión con la abuela Schrecklich es mortal.

—Efectivamente —dijo mi papá.

—Sí —contesté yo—. Y para ella el futbol es como para mí los trajes de fiesta y los zapatos de tacón.

—Tienes toda la razón —dijo mi papá—. Pero ¿sabes?, arriesgué mi vida y le dije exactamente lo que necesitas.

—¿Hiciste eso por mí? —pregunté sorprendida.

—Sí, señorita —contestó mi papá.

—No, no lo creo —repliqué—. ¿Le dijiste las palabras prohibidas? ¿Le dijiste realmente «tacos de futbol»?

—Sí, lo juro con la mano sobre el corazón —asintió mi papá—, y que no vuelva a latir más.

—¡Excelente, papá! —grité—. Te quiero —le dije abrazándolo—. Y, ¿sabes qué más? Cuando la abuela te haya devorado, pensaré en ti todos los días.

Le sonreí maliciosamente y él me devolvió la sonrisa.

3 *Schrecklich* significa «terrible» en alemán. (N. de la T.).

—Gracias, tesoro, pero preferiría un pedazo de pastel.

Y se lo merecía, desde luego. Pero antes yo tenía que pedir un deseo. Cerré los ojos y me imaginé que mi mamá estaba ahí. Entonces los tomé a los dos de la mano, aunque en realidad sólo sostenía la de mi papá, y deseé ser siempre tan feliz como en aquel instante.

En cuanto apagué las velas, las nueve de un solo soplido, hundimos las manos en el pastel. Lo agarramos directamente con las manos riéndonos al pensar en el escándalo que haría la abuela Schrecklich si nos viera comer de aquella manera. Luego me lavé los dientes, le di otro beso a mi papá, me envolví en mi camiseta y escuché atentamente los silbidos, gemidos y crujidos de la casa. Ya no eran amenazadores sino como una canción de cuna, una canción de cuna de cumpleaños. Pronto me dormí profundamente y soñé que vivía en una casa colgante entre las vigas del techo de mi cuarto.

¡ABUELA-OH-YEAH-OH-YEAH, ABUELA-OH-SCHRECK!

El cansancio del día anterior y lo bien que me sentí tras la terrorífica celebración de mi cumpleaños con mi papá hicieron que durmiera casi hasta el medio día. Ya eran las once cuando aparecí en la cocina, medio dormida y distraída. Estaba buscando el refrigerador cuando escuché una voz que conocía muy bien:

—Dios mío, Dios mío, ¡qué cara!

Me di la vuelta lentamente. La señora a la que pertenecía la voz llevaba un traje rosa con un sombrero que combinaba y una bolsa de piel artificial. Con sus setenta y ocho años, parecía una muñeca barbie deshidratada, así que hubiera podido devolverle la frase perfectamente: «Dios mío, Dios mío, ¡qué cara!».

Pero, al contrario que ella, supe controlarme. Fui la amabilidad en persona.

—Ah, hola, abuela, gracias por felicitarme por mi cumpleaños —susurré dulzonamente, como una serpiente recubierta de chocolate.

La abuela Schrecklich puso cara de haber mordido un limón.

—Es difícil felicitarte si te pasas el día durmiendo —contestó molesta, y me miró de arriba abajo, desde el cabello desgreñado, pasando por la camiseta de futbol hasta los zapatos desamarrados de mi papá, que me había puesto a falta de encontrar algo mejor—. Y, además, vine a felicitar a mi nieta, no a un troll horrendo. —La abuela Schrecklich arrugó la nariz y le lanzó a mi papá, que estaba desayunando con ella, una mirada llena de reproche—. ¿O crees que eso que tenemos enfrente parece una señorita de verdad? No, Lars-Malte. Es una marimacha y te aseguro que vas a echarla a perder si no traes a una mujer a la casa. Y si no lo consigues, me pongo gustosamente a tu disposición.

Mi papá se atragantó con el panecillo que estaba masticando. Levantó la mano en signo de agradecimiento.

—Bueno, es muy amable de tu parte, mamá, pero creo que nos las arreglaremos solos. ¿Sabes?, Marion hubiera estado orgullosa de su hija. Puedes estar segura.

—Marion, siempre Marion —respondió la abuela Schrecklich como un pepino celoso y rosa—. Marion murió hace más de un año, Lars-Malte, y eso no tiene remedio. No puedes nadar y caminar al mismo tiempo, Vanesa. Un niño es un niño y una niña es una niña. Sanseacabó. Punto. —La abuela Schrecklich se secó una lágrima—. Yo no me hice boxeadora de peso completo.

—Puf, Muhammad Ali tuvo suerte. —Sonreí burlonamente. Rompí un quinto huevo en la licuadora y la encendí. La abuela Schrecklich, asustada, pegó un brinco.

—Dios mío, Dios mío, ¿qué estás haciendo? —gritó.

—Mi desayuno —contesté secamente.

—Ya está en la mesa, Vanesa —me confrontó la abuela.

Lancé una mirada al pastel de cumpleaños rosa que había traído.

—Por favor —me quejé—. Es igual que tu sombrero.

Apagué la licuadora, me tomé el contenido del recipiente de cristal de un trago y eructé.

—Perdón, pero ya sabes que no soporto el pastel rosa, a lo barbie. Sanseacabó. Punto.

Lo dije tranquila y amablemente, con cara de angelito. La abuela Schrecklich necesitó como mínimo quince segundos, todo un récord mundial, para pensar una respuesta.

—Como quieras. —Levantó la cabeza ofendida—. Pero algún día pensarás en mí, te lo aseguro. Mi regalo de cumpleaños tampoco te va a gustar: es rojo.

—Bueno, al menos no es rosa —contesté aliviada y agarré rápidamente el paquete que había encima de la mesa. Si me regalaba unos zapatos de tacón, al menos que no fueran rosa. Arranqué la envoltura y encontré una caja de zapatos. Abrí la tapa.

Por un momento me quedé sin habla.

—Ya te lo dije, son rojos —refunfuñó la abuela Schrecklich—. Y te aseguro que no pienso cambiarlos. Por amor de Dios, bastante problema fue comprarlos.

Miré a mi papá.

—¿No te mató?

Mi papá sonrió y negó con la cabeza.

—No, ni torturó. Como mucho, soltó alguna indirecta.

—Gracias. —Sonreí—. Y gracias también a ti —grité a mi abuela. Saqué los tacos de futbol de la caja y aún con todo en las manos la abracé—. ¿Sabes qué, abuelita? A veces eres la mejor abuela del mundo. Siempre quise unos tacos rojos.

Abracé a mi abuela tan fuerte como pude y la besé. Miró a mi papá completamente desconcertada.

—¿Y? —Sonrió él—. ¿Qué se siente cuando lo besa a uno un troll?

Mi abuela arrugó la nariz. Yo sonreí.

—¿De quién hablas, papá? ¿Cuál de las dos es el troll?

—Cálmate ya, te lo advierto —gritó mi abuela y me abrazó tan fuerte que casi no pude respirar.

UNA EXPERIENCIA INCOMPARABLE

Después de aquella noche de lluvia y niebla, Múnich me regaló un maravilloso día de verano: el día de mi cumpleaños. Me sentía muy bien y ansiosa porque llegara mi primer entrenamiento con Las Fieras. Cuando por fin dio cuarto para las cuatro en el reloj, subí al coche con mi papá. Llevaba la flamante camiseta del Bayern y los tacos de futbol rojos. Estaba terriblemente nerviosa.

La abuela Schrecklich hacía caras detrás de mí, como si me estuvieran llevando directamente a la perdición. Pero me daba igual. No se daba cuenta de que por primera vez iba a entrenar con un equipo que no era de niñas. Estuve tres años esperando algo así y por fin se hacía realidad. Estaba impaciente, tan impaciente que cuando llegamos al campo no quería bajar del coche. Me quedé mirando fijamente la cerca de madera tras la que entrenaban Las Fieras.

—¡Oye!, ¿estás bien? —me preguntó mi papá. Eran las cuatro y cuarto y yo no hacía nada más que morderme las uñas. Me las mordí hasta las cuatro y veinticinco, hasta que mi papá ya no pudo más y decidió ejercer presión.

—Si quieres te acompaño, pero sólo si es absolutamente necesario. Quiero decir, entiendo que estás nerviosa y que tengas un poco...

—No, eso sí que no. No tengo nada de miedo, ¿está claro?

—Sí, desde luego, clarísimo —contestó mi papá obedientemente. Se inclinó hacia mí y me abrió la puerta del coche—. Pero te acompañaré si en veinte segundos no saliste del carro.

—Señor, sí, señor —asentí mirando el segundero del reloj del tablero del carro. Al cabo de quince segundos saqué una pierna.

—¿De verdad saben que iba a venir hoy?

—Sí, hablé por teléfono directamente con su entrenador —me aseguró mi papá—. Se llama Willi.

—¿Willi qué? —pregunté para ganar tiempo.

—Willi y con eso basta. Ni Zimperlich ni Ungeheuer.[4] —Sonrió mi papá.

Me encanta esa sonrisa de «estoy contigo pase lo que pase». Respaldada por esa sonrisa, salí finalmente del coche y crucé la puerta de la cerca para enfrentarme con mi destino.

4 *Ungeheuer* significa «monstruoso» en alemán

Al momento vi a once Fieras salvajes entrenando, once niños vestidos de negro con medias naranja chillón. Y ese momento me bastó para ver lo buenos que eran. Pero inmediatamente se hizo el silencio, un silencio absoluto. Como si alguien hubiera parado el tiempo, todos se quedaron inmóviles. Hasta la pelota se quedó flotando en el aire.

Tuve la impresión de estar en el zoológico. Todos me miraban fijamente, como si fuera la cruza de un canguro y un cocodrilo. Como ya estaba acostumbrada, fui la primera en reaccionar: carraspeé y pregunté valientemente por Willi. Pero para los demás el tiempo seguía detenido. Parecían petrificados y mudos.

—Hola, me llamo Vanesa —intenté por segunda vez—. Mi papá llamó a Willi y Willi dijo que podía jugar con ustedes.

Esperé a ver qué pasaba. De pronto se produjo una sacudida. El tiempo pegó un salto hacia adelante de tres cuartos de segundo y en esa fracción Las Fieras voltearon la cabeza hacia la izquierda. Seguí su mirada y vi a Willi. Estaba sentado en el pasto con las piernas cruzadas, sonriéndome.

—Hola, Vanesa —me saludó—. Llegas tarde.

En aquel momento el tiempo recuperó su marcha normal. La pelota cayó silbando por efecto de la fuerza de gravedad y le dio a uno de Las Fieras, el que llevaba el número 13, en plena cabeza. ¡Bang!

—Espera, un momento, Willi, ¿conoces a eso, ejem, a esa de ahí...? —El número 13 volvió a la vida con un sobresalto.

—Sí, es Vanesa. Acabo de decirlo —contestó Willi sonriendo inocentemente. Se puso de pie y vino hacia mí.

—Sí, ya lo escuché —contestó el niño—, pero no lo he entendido. Es obvio que es una niña.

—¡Uauh! Bravo, León —se burló Willi—. ¿Cómo te diste cuenta tan rápido?

—Se huele a diez kilómetros de distancia y contra el viento —dijo León echando chispas—. Fabi, di algo. Willi quiere meter a una niña en el equipo.

Pero Fabi, el número 4, no dijo nada. Para él, el tiempo seguía detenido. Estaba al lado de León y me miraba fijamente, como si fuera Santa Claus y los Reyes Magos al mismo tiempo. Y, se los aseguro, no me dio la impresión de ser muy inteligente.

—Vamos, Fabi —gritó León—. Es como alistar a una mujer en un barco ballenero. Maldición, traerá problemas y peleas.

—¿Tú crees? —preguntó Fabi con una sonrisa que, por vergüenza, le hubiera aconsejado guardarse.

—Pues sí —rezongó León—. Maldita sea, ¿que no hay nadie cuerdo?

—¿Qué... cuerdo es? —Fabi seguía con aquella sonrisa boba en la cara y ni siquiera podía hablar.

Un niño con rizos pelirrojos y unos lentes con cristales de fondo de botella se adelantó.

—León tiene razón. Es imposible. Una cosa así nunca ha pasado.

—¡No, nunca! —gritó el más pequeño de todos—. Al menos desde que soy una Fiera, y lo soy desde siempre.

—Cierto —exclamaron los demás. Y uno añadió:

—Willi, te lo advierto. Si ella se queda, yo me voy.

Aquella frase, tan clara y cortante, fue

como una cuchillada para mí. Miré a la Fiera que la había dicho directamente a la cara. Era el mayor y el más alto de todos, y por muy difícil que le hubiera resultado decir aquellas palabras, las dijo completamente en serio.

—Sí, mi hermano Marlon tiene razón —exclamó León—. Si ella se queda nos vamos todos.

Volvió el silencio. Aparte de los latidos de mi corazón, lo único que escuché fue el ruidito que hizo Willi al echarse la gorra hacia atrás para rascarse la frente. Pero no llegó a hacerlo. Me miró con ojos analizadores y se dio la vuelta hacia ellos con un suspiro.

—Bien, bien, lo entiendo y de verdad lo siento. Se los debería haber preguntado antes, ya lo sé. Pero, maldición, desgraciadamente no lo hice, y por eso, lógico, ahora estoy en un problema. Resulta que le prometí al papá de Vanesa que su hija podría entrenar con nosotros. ¿Qué tan grave es eso? Una vez al menos, para probar. Y les pido, por favor, por favor, que me dejen mantener mi palabra.

Las Fieras miraron a Willi indecisos.

—Está bien, denle una oportunidad —les rogó Willi—. Y si no sabe jugar, rechazaremos su ingreso.

—¿Y si resulta que sí sabe? —preguntó León—. Entonces ¿qué pasará?

—¿Qué va a pasar? —replicó Willi encogiéndose de hombros—. Pues que perderemos un futbolista sólo porque es una niña. Y es todo.

León asintió contento y me miró de arriba abajo. Yo me mordía el labio inferior. Me preguntaba si no me lo habría reventado ya. León notó que estaba insegura, me di cuenta perfectamente. Y por eso también sabía exactamente lo que se aproximaba.

—Está bien. Hecho. —León sonrió como el príncipe Juan al firmar la sentencia de muerte de Robin Hood—. Un entrenamiento de prueba. —Y dividió el equipo en dos grupos.

Y AÚN ODIO MÁS A LOS NIÑOS

Naturalmente, formé equipo con León y Marlon, o sea, los dos que se habían portado más «amistosos» conmigo. Pero los demás, se los aseguro, no eran mejores. Raban, el pelirrojo de los lentes de fondo de botella (que, para que lo imaginen, arrastraba unas cuantas experiencias traumáticas con tres peluqueras de guardería), simplemente me odiaba. Joschka, el menor, era una pequeña víbora y Rocce, ¡oh, el bello Rocce!, era el más macho bajo el sol. Ni siquiera me incluyó en la cuenta.

—Somos cinco contra seis. —Se dio la vuelta hacia Willi—. Así que nosotros sacamos.

Willi asintió sin decir nada. A eso también tendría que acostumbrarme: la señorita Zimperlich hubiera mandado inmediatamente a Rocce en la banca por faltarle al respeto. Pero yo ya no estaba con las encantadoras y simpáticas Golondrinas de Holstein.

Ahora estaba en el mundo más duro, brutal y feroz que había visto en mi vida. Y en aquel mundo no parecía que existieran los buenos modales. No, Willi se limitó a limpiarse la nariz con la manga y a darle a Rocce la pelota que éste le había pedido.

—Bien, empecemos —gritó León—. Tres toques de balón por jugador, ni uno más. ¿Entiendes lo que quiero decir? —me preguntó.

—Que sólo puedo tocar el balón tres veces, incluyendo la recepción y el pase, ¿me equivoco?

Por un momento León se quedó pasmado. Entonces masculló entre dientes:

—¡Uauh! Habla como un libro abierto. ¿Lo aprendiste de memoria? —Me sonrió burlonamente. Me ganó otra vez. La verdad es que nunca en la vida había hecho aquel ejercicio, sólo había visto que lo hacían. En mi equipo de Hamburgo ya podíamos darnos por bien servidas si nos salía bien algo y sin contar pases.

—Bueno, Vallena o como te llames, tú jugarás de delantera izquierda con Rocce y conmigo.

«Tenía que ser en la izquierda —pensé—, ¿por qué no me atan las dos piernas para empezar?». Pero yo era Vanesa la Intrépida, así que obedecí y ocupé mi posición con mal humor. Para mis adentros pensaba: «Ya se pueden ir preparando. Les voy a dar una lección».

Pero no tuve la menor oportunidad de hacerlo. Después del sonido de silbato, León, Marlon, Raban,

Joschka y Rocce fueron efectivamente cinco contra seis. O sea, jugaron como si yo no estuviera. Incluso cuando estaba totalmente desmarcada enfrente de la portería y me desgañitaba para que lo notaran pero se pasaban de largo. Y lo que era mucho peor: metían goles. No habrían podido mostrarme mejor ni con más éxito que yo sobraba. Pero seguía siendo Vanesa la Intrépida y por lo tanto no me rendí.

—Bravo, ¡eh!, bravo. —Aplaudí el cinco a cero a nuestro favor—. Qué bien lo hacen, ¿no? Tanto que no había notado que están temblando de miedo.

Las Fieras me miraron perplejos y se echaron a reír a carcajadas.

—¿Escucharon? —gritaron León y Marlon. Pero les corté la risa en seco.

—Espero que sí, pero voy a repetirlo con mucho gusto, «muchachos» o lo que sean: tienen miedo, ¿escucharon? Les da miedo que juegue bien.

León soltó otra carcajada, o al menos lo intentó, pero yo no lo dejé.

—Claro que sí —repetí—. Si no, ¿por qué no me pasan la pelota?

Silencio.

Vi a Willi. Se estaba divirtiendo de lo lindo y eso me animó. No pude contener una sonrisa. Les había tocado su punto más sensible y León y el resto de Las Fieras hervían de enojo.

—Bien, como digas. —León aceptó el desafío—. Veremos quién ríe al último.

Y me mandó adrede un pase muy difícil. Tan malo que no pude parar la pelota a pesar de todos mis esfuerzos. El balón aterrizó en el campo del equipo contrario, que aprovechó el error y metió en seguida su primer gol. La sonrisa burlona que apareció en la cara de León me pareció detestable y aún volvió a pasar lo mismo dos veces. Aunque yo no tenía la culpa, aunque eran León o Marlon o Rocce los que provocaban mis errores, cada vez estaba más insegura y nerviosa y, cuando Marlon me mandó un pase genial en el área chica, lo desaproveché.

Hacía rato que el primer gol de los otros había dejado de ser el único. Ya íbamos cinco a cuatro cuando recibí el balón enfrente de mi propia área de castigo, en una situación tan forzada que nadie en este mundo hubiera podido pasarlo. Estaba rodeada por Jojo, el que baila con el balón, Félix el Torbellino y Juli Huckleberry Fort Knox, el cuatro en uno, y mientras intentaba escaparme de su barrera, los demás empezaron a contar en voz alta. Fue el mejor dribling de mis nueve años de vida, créanme, pero a nadie pareció importarle. A mi cuarto toque de pelota seguido, Willi pitó un lanzamiento directo a favor del equipo contrario. Inmediatamente se adelantó Maxi, que, como me explicó Joschka, era el niño con el tiro más potente del mundo. Y no tuve la menor duda cuando casi arrancó la red. Cinco a cinco: empate.

—Bravo, ¡eh!, bravo. —Aplaudió León—. Un verdadero récord, el de Nellie, ¿no les parece? De cinco a cero a empate a cinco. Y eso en cinco minutos.

Los demás se carcajearon y gritaron. Por primera vez me apareció en la cabeza una idea que era una sola palabra: «Lárgate», y les aseguro que era como un susurro que me salía directamente del corazón. Pero León aún no había acabado.

—¿Qué quieren, muchachos? —exclamó, burlándose a más no poder—. No puede hacer nada para evitarlo, es una niña. Así que démosle una oportunidad más. Decidamos el resultado con unos penaltis. Nellie o Nessie o como se llame tirará los nuestros. Me parece que a Willi le gustará.

Después de decir esto, León miró de tal manera a Willi que a éste la sonrisa se le borró de golpe. León no le perdonaba que hubiera metido a una niña. En ese momento comprendí que Willi no haría nada por mí. ¡Cuando lo único que yo deseaba era que se me apareciera un hada y me ayudara! Pero Willi hizo bien. Todo estaba en mis manos. Podía demostrarme y demostrarles de lo que era capaz. Es decir, hubiera podido si no me hubiera vencido aquella inseguridad. Si no hubiera estado tan nerviosa y aquella maldita idea no se hubiera paseado por mi cabeza sin dejar de susurrarme: «Lárgate, lárgate de aquí, lárgate de aquí de una vez».

Pero era demasiado tarde. Jojo cobró el primer penalti para el equipo contrario y León se dispuso a ponerme la pelota sobre el punto de penalti. Eso sí que no podía permitirlo, así que corrí hacia él, tomé yo misma la pelota y la situé. Las Fieras

cuchicheaban y las piernas me temblaban de inseguridad al ritmo de sus cuchicheos. A pesar de ello, intenté concentrarme: agarra vuelo de manera que parezca que vas a patearla con la pierna derecha a la escuadra izquierda y, entonces, en vez de darle con el empeine interior, envíala con el empeine exterior a la esquina derecha muy pegada al poste.

Eso era exactamente lo que me proponía. Pero precisamente en el momento en que me preparaba a hacer el lanzamiento, la tierra pareció temblar. Quizá titubeé un segundo de más. Toqué mal la pelota y le di al travesaño.

Félix, tan seguro como siempre, cobró el segundo penalti y cambió el marcador: Cero a dos en nuestra contra o, mejor dicho, en la mía, porque no pensaba que ni uno solo de los presentes estuviera de mi parte.

O sí. Mientras Fabi colocaba el esférico, por algún motivo desconocido estaba rojo como un jitomate. No se atrevía a mirar hacia donde estaba yo. Confundido, corrió hacia la pelota y la tiró muy alta y se estrelló (como yo) contra el travesaño.

—¡Eh!, ¿qué te pasa? —gritó León escandalizado. Pero Fabi se limitó a encogerse de hombros. León lo zarandeó.

—¿Te trae loco Nessie, o qué? —indagó. Por respuesta recibió un puñetazo en el estómago.

—Ni se te ocurra decir eso —masculló Fabi—.

Lo tiré desviado adrede para poner la cosa más interesante. ¿Está claro?

En la cara de León apareció una sonrisa.

—¿Para poner la cosa más interesante? Buena idea. ¿Escuchaste, Markus? —le gritó al portero—. Deja que ella te meta uno. Si no, no va a tener ninguna oportunidad.

—Con mucho gusto —contestó Markus—. Suponiendo que lo meta.

Las Fieras se doblaban de la risa y yo estaba cada vez más nerviosa. «Lárgate, lárgate», sonaba en mi cabeza. Las primeras lágrimas me llenaron los ojos. «No, no lo hagas —me dije apretando los puños—. No, nada de lloriqueos. No les des ese gusto».

Tiré el penalti y, maldición, la pelota fue directamente al portero. Para Markus hubiera sido muy fácil atraparla, pero en vez de eso saltó asustado a un lado, como si lo que se le acercara fuera una bala de cañón.

—¡Eh! ¿Qué les dije? Dos a uno. ¿Vieron ese penalti? —celebraron Las Fieras por mí. Secretamente los maldije por esa humillación y me sequé con disimulo las lágrimas de la cara.

El siguiente penalti lo cobró Juli Huckleberry Fort Knox. Fue tan descarado que lo tiró a cinco metros del poste derecho de la portería y tuvo que agarrarse la barriga de la risa. En cambio, yo tiré el mío tan bien que Markus el Invencible, como parecía llamarse, no tuvo que hacer nada para ayudarme. Pero León no se dejó impresionar. Corrió hacia Maxi, el niño con el tiro más potente del mundo y le susurró algo al oído. Maxi exhibió su famosa sonrisa, silenciosa y traviesa, salpicada de una pizca de perversidad. Calculó el tiro, tiró y, como por arte de magia, estrelló la pelota contra el travesaño.

—Oooh, Buuhh —abuchearon Las Fieras retorciéndose de risa. Maxi lo había hecho a propósito y de paso había acabado con la poca seguridad en mí misma que me quedaba. ¿Cómo podía aspirar a jugar en un equipo en el que uno acierta al travesaño cuando le da la gana? Pero no tenía elección. León ya estaba tendiéndome la pelota a un milímetro de la nariz.

—¿Quién tiene ahora miedo y se ríe al último?

Me miró desafiante. Como respuesta, los ojos se me llenaron de litros de lágrimas.

—Todo depende de ti —siguió León presumiendo de su poder—. Pero quizá prefieras lloriquear un poco.

Y dio en el clavo, se los aseguro. Cerré los ojos para contener las lágrimas. «No, por favor, no. Haz un esfuerzo —volví a decirme—. Eres Vanesa la Intrépida. Así es como te llamaba siempre tu mamá. Así que, ¿qué estás esperando?». Abrí los ojos, le quité la pelota a León y la coloqué sobre el punto de penalti. Mientras retrocedía para tomar vuelo tuve la sensación de que el suelo se volvía blando y cuando empecé a correr ya formaba olas. Encima, Las Fieras me aplaudían con falsos gritos de ánimo. Cuando me disponía a tirar con el pie derecho, todo, pero todo, todo, las olas, los gritos y mi vida entera, cayó sobre mí estrepitosamente. Perdí el equilibrio, le pegué al suelo y me caí de espaldas.

Se hizo el silencio.

Ahí estaba yo, tirada en el lodo,
deseando no moverme nunca más.

Las lágrimas me caían de los ojos y no podía hacer nada para evitarlo. «Van a creer que soy una llorona», pensé. Entonces León entró en mi campo visual y se inclinó directamente sobre mí. Su mirada era aniquiladora y fría. Escupió como lo hacen los niños cuando se creen que son hombres y rompió el silencio.

—Bueno, ¿qué te parece, Nessie:
pasaste la prueba?

Por un momento conseguí aguantarle la mirada y mirarlo yo misma desafiante, como si quisiera tirarme sobre él con mi último suspiro. Pero entonces un diluvio se me derramó de los ojos. Me levanté de un salto y me fui corriendo.

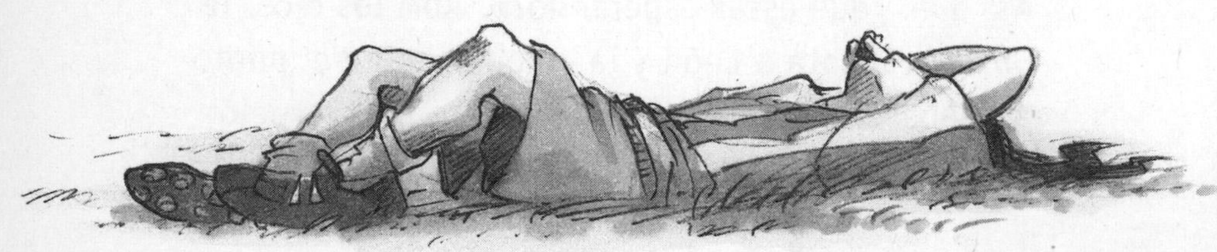

EL GRAN DUELO

Corrí, corrí y corrí y, después de ir de aquí para allá en aquella maldita ciudad, encontré por fin la que desde hacía un día era mi nueva casa. La odiaba. En aquellos momentos odiaba todo. Fue una verdadera suerte para mi papá no ser el primero en tropezarse conmigo. No, fue la abuela Schrecklich, el tridente del diablo (entendiendo que para mí León y sus secuaces eran el diablo y el campo de entrenamiento, el infierno). En cualquier caso, la abuela Schrecklich me dio la razón.

Hacía rato que había olvidado la discusión que tuvimos por la mañana y se dedicaba a las cosas verdaderamente importantes de la vida. Con un delantal de hule sobre su vestido rosa como coraza, una mascada sobre el sombrero de colores pastel como casco y unas tijeras de podar como espada, había declarado la guerra a la maleza del jardín. Estaba en la terraza en actitud hostil y sólo su aspecto ya

bastaba para que los dientes de león se disolvieran solos. Ni siquiera necesitaba agacharse. Por supuesto, yo no conseguí esquivarla y me la encontré de frente.

—Dios mío, Dios mío, ¡vaya cara! —graznó como un pato asustado—. Dios mío, Dios mío y por todos los santos del cielo, criatura, tú sales directamente del infierno. Ven para que te abrace —graznó de nuevo y abrió unos brazos como alas de ángel. Acepté el ofrecimiento sollozando, pero fue un error: la abuela Schrecklich no era ningún ángel. Era un pato viejísimo y rosa con un tocado en la cabeza y un delantal de hule, que no entendía para nada lo que me pasaba.

»Dios mío, Dios mío, criatura. Te lo dije. No puedes caminar y nadar al mismo tiempo —parloteó—.

Espero que lo comprendas. Dios mío, Dios mío. Pase lo que pase, mañana mismo iremos a dar a la beneficencia esta camiseta horrible y estos tacos espantosos.

¡No! Aquello era demasiado. Me asfixiaba. De repente lo veía todo de color rosa. Por todas partes. Yo misma empezaba a ser de color rosa. ¡No! ¡Fuera! Yo era Vanesa la Intrépida y quería jugar futbol. Me deshice del abrazo y me fui corriendo a mi cuarto. Di un portazo y me senté sobre el colchón, como un faquir. Y ahí me quedé, con la mirada perdida en la pared, hasta que mi papá llegó a casa.

Afuera, hacía rato que había anochecido. Mi papá vino a mi recámara y se sentó a mi lado.

—Lo sé todo —dijo—. Willi me llamó. Cree que fuiste muy valiente.

—¿Ah sí? —contesté enojada.

—Sí, y quería que te lo dijera. La burla que hiciste antes de que él pitara la falta del final le pareció fantástica. Mejor que los de León, que es el Gran Driblador.

—¡Bah!, León. —No quería saber nada de él. Entonces noté una lágrima despistada en un ojo y me la sequé enfadada—. No voy a volver, ¿me oyes? ¿Está claro?

Mi papá se limitó a mirarme.

—Y quiero volver a Hamburgo. —Me tembló un poco la voz—. Esta casa no es mi sueño, ya lo sabes, sino de mi mamá.

Intenté de nuevo secarme las lágrimas de la cara. No pude aguantarlo más y me abracé a mi papá sollozando.

—¿Por qué venimos, papá? ¿Por qué tengo que vivir su sueño? Yo también tengo un sueño, papá.

—Sí, que justamente ahora quieres abandonar —respondió mi papá.

Fue como un jarro de agua fría. ¿Acaso mi papá ya no era mi papá sino mi enemigo? Maldición, si quería volver a Hamburgo era para jugar futbol. Allí me aceptaban y me respetaban. ¿Qué había de malo en eso?

—¿A ti qué te parece? —preguntó mi papá—. Si nos vamos a Hamburgo ahora mismo, ¿olvidarás lo que pasó hoy?

Me le quedé mirando. Por supuesto que no, no lo olvidaría jamás. Por eso quería volver a Hamburgo. «Maldición, ¿qué se propone?», me pregunté, y se me ocurrió que lo que él quería era quedarse en Múnich y que yo le daba igual. Pero no me dejaría engañar tan fácilmente.

—Bueno, que quede claro —contesté, poniéndome delante de él con decisión—. O regresamos a Hamburgo o no juego futbol nunca más.

Mi papá bajó la mirada. Estaba triste de verdad.

—Es una lástima, ¿sabes? —dijo mirándome de nuevo—. Los sueños son algo precioso. No tienes que abandonarlos nunca. Si los abandonas, te pierdes a ti misma. Y entonces ya no queda nada.

¡Plof! Y desapareces, como una burbuja de jabón. Tu mamá lo sabía y por eso hizo construir esta casa. Aunque estaba muriéndose y sabía que nunca viviría aquí, su sueño era que nosotros viviéramos en ella. Mira a tu alrededor. Es la casa de tu mamá, ¿no lo sientes? Vanesa, ¿no sientes la fuerza? Con esta fuerza lo conseguirás. Créeme, por favor.

—Pero ¿qué debo hacer? —pregunté completamente confundida.

—¿Que qué debes hacer? —respondió mi papá—. Tienes que darles una lección a Las Fieras. Sí, eso es lo que tienes que hacer. Rétalos, rétalos a un torneo para celebrar tu cumpleaños.

—Pero no vendrán. No vendrían jamás —volví a replicar.

—Sí lo harán. Por eso no tienes que preocuparte. —Mi papá sonrió—. Todo depende de cómo se los propongas.

Me sequé las lágrimas de la cara.

—De acuerdo —cedí—. Pero después volvemos a hablar de Hamburgo, ¿está bien?

—Hecho —accedió mi papá—. Si para entonces aún recuerdas dónde está.

ANTIPÁTICO Y REALMENTE CANALLA

Al día siguiente salí de casa con once invitaciones y un humor excelente. Por eso no fui al campo de entrenamiento, donde hubiera podido repartirlas todas de una sola vez, sino que fui a dárselas a cada Fiera casa por casa. Quería disfrutar de las visitas, así que planeé minuciosamente el orden que seguiría.

El primero fue Raban, Raban el Héroe. Pero su aspecto no era precisamente el de un héroe cuando me vio al abrir la puerta de su casa en el número 6 de la calle Rosenkavalier: era el susto en estado puro. Para combatir su convencimiento de que las niñas son absolutamente perversas, le entregué la tarjeta de invitación con una sonrisa.

—¿Cómo ves? —le pregunté manteniendo la sonrisa—. ¿Tendrás suficientes pantalones para venir?

Raban se quedó observando el sobre que le había dado delante de su nariz. Después me miró a mí y cerró la puerta. Me encogí de hombros, metí la invitación en el buzón y me fui.

Todo funcionó según mi plan. Raban era el hombre adecuado. No tardaría más de treinta segundos en avisar al resto del equipo de mi visita y todos, estaba segura, estarían pegados a la ventana esperándome. Ya me veía como Pac Man en una gigantesca pantalla de computadora, devorando calles en la búsqueda de mi próxima víctima.

En el número 13 del pasaje Alten, Maxi abrió la puerta incluso antes de que tocara, me arrancó la invitación de las manos e, inmediatamente, volvió a cerrar. Todo con una cara tan roja que parecía una supernova a punto de estallar.

A continuación fui a la mansión de los papás de Markus, situada justo al lado del internado donde vive Jojo (su mamá toma bastante y no tiene tiempo para él). Estaba a punto de tocar el timbre cuando llegaron Markus y su papá en una limusina negra como el azabache. Markus bajó y mientras hablaba por el celular a Raban, que le dio toda la información sobre mí. Ni siquiera se dignó a mirarme. Hizo simplemente como si yo no estuviera y se puso a hablar con el mayordomo, que acababa de aparecer en la puerta.

—Ah, Edgar, por favor, tengo muchísima prisa. ¿Podría encargarse del correo por mí?

Luego desapareció en el interior de la casa.

Pero al cabo de un microsegundo volvió a sacar la cabeza por la puerta y le dijo a Edgar:

—Ah, y que te dé también la carta para Jojo, ¿escuchaste? Está esperando detrás de las plantas.

Edgar esperó unos segundos por si Markus volvía a aparecer y después se dio la vuelta hacia mí con una sonrisa.

—*Oh là là, mademoiselle,* ¿qué hizo usted a Las *Fiegas?*

—Nada —dije yo devolviéndole la sonrisa—. Aún nada.

Le di los dos sobres presumiendo.

En el número 11 de la calle Karl-Valentin abrió la puerta la mamá de Félix, la señora Thörl. Me presenté y pregunté amablemente por Félix, que, sorprendentemente, no estaba en casa. De pronto, del interior de la casa salió una voz masculina un poco profunda:

—Un momento, mamá, ejem, quiero decir, señora Thörl, voy a ver si está su hijo.

La mamá de Félix puso los ojos en blanco.

—Está bien, es un detalle —le contestó a la voz profunda—. Y si lo encuentras dile que no sea gallina y tenga la bondad de aparecerse por aquí.

La voz demasiado profunda tardó un minuto infinito en recuperarse del susto.

—Lo siento, señora Thörl, pero ahorita no me encuentro.

Me eché a reír. Aquello era realmente cómico. La mamá de Félix también estaba divirtiéndose.

—Bueno, Vanesa, dame la carta a mí. La guardaré hasta que sepa dónde está Félix.

Asentí, me despedí y recorrí sin poder dejar de reírme las dos calles que me separaban del número 4 de Fasanengarten, donde vivía Fabi. Tampoco necesité tocar el timbre. Fabi me esperaba montado en su bici.

Cuando me vio se me acercó a toda velocidad para frenar en seco.

—Hola, Vanesa, espera, ya voy —gritó. Pero se cayó de cara en el suelo justo delante de mí. Seguro que no lo había planeado porque aún estaba más rojo que Maxi mientras se frotaba el trasero.

—Hola, Fabi —lo saludé—. Qué suerte encontrarte. ¿Sabes dónde viven Juli y Joschka? Tengo una cosa para ellos.

—¿Cómo? ¡Ah! Viven ahí —contestó Fabi algo cortado. Y señaló la casa de enfrente.

—Gracias —dije. Y me fui. Conté los pasos que daba y cuando iba por el quinto, Fabi gritó atrás de mí:

—¡Espera!, ¿y yo qué? ¿A mí no me darás invitación?

—¡Ah, sí! —dije dándome un golpe en la frente—. ¿Cómo se me olvidó? Aquí la tienes. —Le di el sobre—. ¿O prefieres una bandita para tu cara?

La cara se le puso roja como la luz de una alarma, pero me arrancó la carta de la mano y se alejó corriendo. Por qué dejó la bici a mitad de la calle, deberían preguntárselo ustedes mismos, yo no me atrevo a opinar.

Pero ¿qué más da? Todo iba como estaba planeado y ni siquiera tuve tiempo de acordarme de lo desesperada que estaba el día anterior. Pero al entrar en el jardín de Juli y Joschka les aseguro que me acordé de repente.

En el jardín de Joschka y Juli también me esperaban Marlon, Rocce y León, que aún eran más hostiles a las niñas que Raban, Félix y Fabi. Parecían cinco trolls petrificados y me miraban como si fuera su alimento. León señaló el cubo de la basura que había junto a la entrada.

—Ya puedes tirar ahí tus cartas —se limitó a decir antes de convertirse de nuevo en un despiadado bloque de granito a prueba de bombas.

—¿Qué esperas? —preguntó Marlon, cortante como una navaja de afeitar.

Rocce escupió, exactamente igual que había hecho León cuando, después del último penalti, se inclinó sobre mí y me preguntó: «Sinceramente, Nessie, ¿a ti qué te parece? ¿Pasaste la prueba?».

Durante unos segundos infinitos no supe qué hacer. Irme corriendo. O no: tirar las cartas a la basura, tal como me ordenó León. Pero ni una cosa ni la otra eran posibles. Se lo había jurado a mi papá en la noche. Así que me armé de todo mi valor, fui hacia León y me planté delante de él.

—Las puedes tirar tú, no te rajes —mascullé mirándolo a los ojos—, pero si lo haces, lo sabré, sabré que todos son unos cobardes.

Y le tiré las cartas a los pies, giré sobre mis talones y me fui a toda velocidad.

Aquella noche, mi papá y yo, sentados frente a la chimenea de la sala de nuestra casa de brujas, contemplábamos el fuego.

Yo estaba nerviosa y muy intrigada por lo que pasaría. No tenía la menor idea, pero una cosa sí sabía y, por eso, cuando mi papá me preguntó cómo estaban las cosas, contesté sin vacilar:

—Bien. Perfectamente bien. Esta vez no hui.

Mi papá asintió aprobándome y sonrió.

—Seguramente te va mejor que a León. Apuesto a que en estos momentos está en ascuas por la invitación.

—Sí. —Sonreí pícaramente—. Y me encantaría ver qué cara ponen.

CAMELOT TIEMBLA

Sí, mi papá tenía razón. Aquella noche Las Fieras se habían reunido en Camelot. Hasta Willi había ido. Todos miraban y miraban los once sobres cerrados que había encima de la vieja mesa de madera al que llamaban Amboss y que sólo utilizaban cuando se presentaba algún peligro descomunal. En silencio y con expresión tétrica, Las Fieras estaban sentadas alrededor de Amboss sin quitarle los ojos a los sobres cerrados. O, mejor dicho, el que tenía escrito el nombre de Fabi no parecía intacto del todo. Alguien lo había abierto y vuelto a pegar. Por eso Fabi no miraba las cartas sino que se movía nervioso y silbaba de vez en cuando *Knocking on Heaven's Door,* cosa que hacía siempre que tenía miedo. Daba la impresión de que el cielo se le acabara de caer encima.

Hacía rato que se había hecho de noche. Por fin León rompió el silencio.

—Bueno, tenemos dos posibilidades: o las quemamos o las abrimos.

—Quememémoslas. —Saltó Fabi en seguida—. Yo voto por quemarlas.

León lo miró y asintió contento.

—¿Y qué piensan ustedes? —preguntó mirando alrededor.

—Quemémoslas.

—Sí, quemémoslas —se oyó por todos lados.

—Sí, pero antes rompámoslas en pedazos —gritó Raban.

Guardaron silencio.

León esperó algunos segundos. Luego dijo aliviado:

—Bien, decidido. Se inclinó lentamente sobre Amboss y amontonó las cartas.

Willi lo observaba:

—¡Uauh! Me impresionan. —Se burló de su equipo—. ¿Saben una cosa? Tienen aspecto de auténticos vencedores, pero ¿no les intriga ni un poco?

León apretó los puños y los ojos de Marlon se convirtieron en rendijas amenazadoras. Willi se dio cuenta. Era imposible no verlo, pero le daba igual. Tomó la carta de Fabi del montón y le dio la vuelta a la luz de la lámpara.

—Les ganan a los Vencedores Invencibles, saltan al río desde un puente de seis metros de altura y de noche, impresionan a una estrella mundial, un dios del futbol, y se llaman a ustedes mismo Las Fieras. Pero enfrente de la carta de una niña se quedan petrificados y tiemblan tanto de miedo que ni siquiera les da vergüenza.

—Ya basta. Cállate —mascullaron Marlon y León.

Willi los miró.

—Sí, claro —dijo—. Sólo una cosa más, una pregunta: ¿por qué no hacen lo que hizo Fabi?

Fabi se encogió como si quisiera hacerse invisible, pero Willi no lo dejó.

—No, Fabi, no tienes ninguna necesidad de esconderte. Al menos tú te atreviste, aunque sea por otra razón. Pero quizá quieras convencer a tus amigos de que como mínimo lean las cartas antes de que las llenen de lodo, las emplumen, las torturen, las descuarticen y las manden al bote de basura.

Willi sonrió a Fabi para darle ánimos, pero éste dijo lentamente que no con la cabeza.

—No, por nada del mundo. Ni pensarlo.

Willi asintió.

—Entonces, ¿tan grave es la cosa? ¡Uf!, creo que subestimé totalmente a Vanesa.

—Efectivamente —confirmó Fabi. En aquel momento León estalló.

—¡Ja! Vamos a verlo —gritó quitándole a Willi la carta y rompiendo el sobre.

Al cabo de un segundo, la invitación estaba sobre Amboss y todos pudieron leerla.

Hola, guapos:

De verdad que son unas fieras. O al menos ésa es la impresión que dan a primera vista. Pero la segunda impresión que me llevé de ustedes es, con toda franqueza, bastante lamentable. ¿Ustedes qué creen, Raban, Félix, Maxi, Fabi? Bueno, sea como sea no creo que resista

una tercera impresión. ¿O estarían dispuestos a compararse con una niña? Tal cual, sin trucos, limpiamente.
Bueno, si lo están, vengan a mi fiesta de cumpleaños, por favor. Serán bienvenidos.
El domingo que viene, el último día de vacaciones, organizo un torneo de futbol a partir de las tres de la tarde en el jardín de mi «casa embrujada», en la calle Waldfriedhof, número 7.
Pero si tengo razón y ya están temblando de miedo, mejor hagan lo que pienso que harán: agarren las cartas, rómpanlas en pedazos y tírenlas al fuego.
Nos veremos en la clase de deportes.

Hasta entonces,
saludos cariñosos,
Vanesa

El silencio que se hizo en Camelot era totalmente engañoso. En realidad había muchísimo ruido, un estruendo insoportable, sólo que en una frecuencia que nadie podía escuchar. Las Fieras tampoco lo oían todavía, pero sí podían sentirlo. En efecto, miles de murciélagos lanzaban sus chillidos a la noche. El suelo vibraba y hacía temblar Camelot. Y el aire estaba tan electrizado que las chispas de furia saltaban de una Fiera a otra. No hacía falta que dijeran nada: todos estaban de acuerdo. Y el ruido cayó sobre ellos como una tormenta atronadora cuando León anunció:

—Nos las pagará. Se los prometo.

LOS CABALLEROS NEGROS

A la mañana siguiente llegó el camión de la mudanza con los muebles de Hamburgo y mi posesión más preciada: mi bicicleta Pakka negra con doble suspensión y llanta trasera extragruesa. Me olvidé de todo y para escándalo de la abuela Schrecklich, que había esperado poder hablar conmigo seriamente, de mujer a mujer, sobre cómo ordenar los estantes del sótano de la manera más práctica, desaparecí del mapa.

Anduve sin pensar adónde, sin mirar a la derecha ni a la izquierda. Simplemente dejé que el viento me diera en la cara y pedaleé a toda prisa. Me sentía bien y no noté las señales del peligro que me esperaba a la vuelta de la esquina. Iban de negro y llevaban las caras cubiertas con gorros negros de las sudaderas. No los vi hasta tener a tres de ellos detrás. Lo primero que noté fue un frío raro. Después oí el roce de los neumáticos de sus bicis de montaña sobre el asfalto. Miré a mi alrededor y entonces vi

los gorros negros y los escudos negros de Las Fieras sobre el manubrio.

Pedaleé lo más rápido que pude. Intenté perderlos, pero se me pegaron como mi sombra. La única salida que me quedaba era ir a casa en seguida. «El próximo cruce a la izquierda y después otra vez a la izquierda», pensé. Ése debía de ser el camino. Aún no conocía bien el lugar. Pero en la esquina ya me esperaba el cuarto perseguidor y justo enfrente de mí el quinto, así que sólo podía girar por la calle de la derecha. No sabía adónde llevaba, pero me apresuré a tomarla. «La próxima a la derecha —pensé— y entonces para casa».

Pero ni soñarlo. En la siguiente esquina y en la siguiente e incluso de las calles secundarias no dejaban de salir «caballeros negros». Me persiguieron por calles desconocidas hasta que llegamos al bosque, a la orilla del Isar y al «embudo». El «embudo» era una pista de obstáculos para bicis de montaña muy difícil. Allí aparecieron los dos «caballeros negros» que faltaban. Me rodearon como los indios o como un banco de tiburones hambrientos, y aunque arriesgué mucho y me jugué el pellejo en algunos saltos, no pude quitármelos de encima. Siempre aparecía algún encapuchado sobre su bici. La única ventaja que tenía era mi rueda trasera extragruesa, pero tampoco me sirvió de mucho. El suelo estaba resbaladizo y me hizo perder el equilibrio. Patiné. Me levanté en seguida, pero la bicicleta se quedó atrapada debajo de un tronco de un árbol caído. La jalé con todas mis fuerzas, pero no logré sacarla. Sentía pánico y estaba rodeada por todos lados.

Se echaron las capuchas atrás.

—Que me parta un rayo. Tiene una Pakka —gritó Raban.

—Sí, ¿y viste la llanta de atrás? —añadió Marlon—. Vaya, con eso no patinas ni en el hielo.

Pero León levantó el brazo y les ordenó callarse.

—No estuviste mal —dijo secamente—. De verdad,

lo digo en serio. Pero por desgracia sigue sin ser lo bastante bueno.

Lo miré desafiante.

—Si once contra uno te parece lo bastante bueno, me das pena.

Di en el blanco. Hasta la cara de León reflejó el golpe por un segundo, aunque escupiera fingiendo no alterarse.

—Bien —dijo y sonrió condescendiente—. Entonces divirtámonos en tu torneo de cumpleaños.

—¿Eso quiere decir que van a venir? —pregunté—. ¿Tienen suficientes pantalones?

—Sí, hasta te compramos un regalo de cumpleaños, Nessie. —León sonrió maliciosamente. Hizo el caballito en su bici, superó con un grito de guerra triunfal el siguiente obstáculo de la pista y se fue a toda prisa. Los demás lo siguieron gritando salvajemente, saltando cualquier desnivel que se les pusiera enfrente.

No pude dominarme y grité:

—¡Alto!

Grité con tanta fuerza que Las Fieras se pararon un momento para mirarme. Hasta León, Marlon y Fabi, que ya habían llegado arriba de la colina maniobraron con sus bicis como si fueran ponis y me miraron desde lo alto como jefes indios.

—Un momento —dije alzando la voz. Me monté en la bici, superé tres obstáculos seguidos, derrapé con la rueda trasera sobre la marcha y me paré. Por un dulce momento disfruté viendo las caras de asombro de Las Fieras. Sonriendo tranquilamente les dije:

—Me alegro mucho. Nos veremos el domingo.

Después de lanzar una última mirada a León, Marlon y Fabi arranqué haciendo el caballito y desaparecí del mapa. Me sentía fantásticamente. Y por suerte ya no veía a León, que me miraba con hostilidad, como un príncipe negro sentado en su trono.

—Tú espera —masculló—. Pronto estaremos tranquilos.

EN PLENO CORAZÓN

El domingo por la mañana llovía a mares y, cuando entré en la cocina, la abuela Schrecklich estaba adornando dos pasteles de cumpleaños con betún rosa.

—Y a tus nuevas amigas, ¿qué les gusta tomar? —me preguntó—. ¿Chocolate o té?

—¿Qué amigas? —pregunté mirando perpleja a mi papá, que levantó los brazos con paciencia.

—Ya se lo dije, pero no me cree.

La abuela Schrecklich pareció no escucharlo.

—¿Y qué van a hacer después? Quiero decir, la casa es grande. ¿Qué tal unas carreras de sacos o la gallinita ciega?

—¿Carreras de sacos? ¿La gallinita ciega? —repetí y me senté en la mesa—. ¿Y qué tal al papá y a la mamá o a besuquearse y manosearse?

A la abuela Schrecklich se le cayó del susto el betún al suelo.

—Dios mío, Dios mío, criatura. ¿No eres demasiado joven para eso?

—Pero, abuela, no tengo ninguna amiga nueva —le expliqué con una sonrisa maliciosa—. Los que vienen no son niñas sino niños.

—Niños —repitió la abuela Schrecklich escandalizada—. ¿Niños y jugarán a los papás y las mamás? Lars-Malte, ¿de verdad crees que educas a tu hija como es debido?

—Pero, abuela, vamos a celebrar un torneo de futbol. Afuera, en el jardín. —Reí.

—¿Afuera? ¿En el jardín? ¿Con este clima? —La abuela casi se cae de la silla.

—Sí, ¿por qué no? En el futbol no importa si llueve, ya lo sabes. Pero tus pasteles son de un color espantoso, ¿no podrías hacerlos de color negro? —pregunté dulcemente y me senté en su regazo—. ¿Sabes?, si lo consiguieras impresionarías un montón a Las Fieras.

—¿A las qué? —bufó la abuela Schrecklich escandalizada— Pero ¿quién va a venir hoy? Dios mío, Dios mío, criatura, ¿por qué le haces estas cosas a tu abuela?

Exactamente lo mismo dijo a las tres, cuando llegaron Las Fieras muy puntuales. Vinieron en bicicleta y, como siempre, vestidos de negro con unas salpicaduras de lluvia y lodo que les manchaban los pantalones, las sudaderas y la cara. No, aquélla no era una de esas fiestas de cumpleaños en las que te arreglas y te presentas muy formal y modosito.

No, aquel día y en aquel lugar iba a tener lugar un combate. Un combate entre sueños distintos, entre maneras de entender el mundo. Un combate entre una niña que soñaba con ser alguna vez la primera mujer de la selección nacional masculina y once niños asalvajados que estaban convencidos de que una niña no podría hacer nada en la selección.

—Dios mío, Dios mío, criatura. ¿De qué agujero salen ésos? —me susurró la abuela Schrecklich.

Tuve tiempo de detenerla.

—Chist, abuela, no seas tan severa. No te conocen y son muy tímidos.

—Sí, pero, Dios mío, Dios mío, ¿qué hacemos ahora? —preguntó desconcertada.

—Pues ¿qué vamos a hacer? —le contesté—. Primero darles los pasteles y después pelear.

—¿Pelear?

—Sí, luchar, abuela, como tú contra Muhammad Ali —le expliqué mientras íbamos a la cocina a buscar el pastel.

—¿Muhammad qué? —Mi abuela no entendía nada.

—Muhammad Ali. Cassius Clay. Tú quisiste ser boxeadora de peso completo.

—Sí, pero era muy pequeña. —La abuela Schrecklich se hizo la loca—. Aún no sabía lo que era propio de una niña.

—Pues intenta acordarte de eso, por favor —le rogué—. Por favor, necesito que me ayudes. Aparte de mí, eres la única mujer que hay aquí.

—¿Acordarme de qué? —balbuceó la abuela Schrecklich confundida.

—De lo que no es propio de una niña —dije impaciente. Le puse una de las tartas de cumpleaños con forma de pelota negra en una mano, tomé la otra y nos reunimos con mis serios invitados.

Las Fieras se quedaron muy asombrados cuando vieron la forma de pelota negra de los pasteles. Estaban tan seguros de su victoria que los devoraron hasta no dejar ni una migaja. Raban el Héroe se tragó cinco pedazos él solo y con cada uno le desaparecía una parte de su mal humor. Al final contagió a los demás, contó chistes, le contó a la abuela Schrecklich lo de los Vencedores Invencibles y casi tuve la impresión de que aquello era una auténtica fiesta de cumpleaños.

Después mi papá explicó las reglas. Formaríamos seis equipos de dos jugadores que se dividirían en dos grupos. En cada grupo los tres equipos se enfrentarían dos veces. Después se disputarían las semifinales, en las que jugarían el primer equipo de un grupo contra el segundo del otro y viceversa. Los vencedores disputarían la final.

—Bien, entendido —dijo León secamente—, pero ¿quién juega con ella? —Se refería a mí—. Aparte de la abuela no hay ninguna mujer y la abuela me parece mayor y además demasiado rosa.

—¡Un momento! ¿Qué quieres decir? —gruñó la abuela Schrecklich apretando los puños amenazadoramente. Pero mi papá se le adelantó.

—Ustedes son once, si no me equi-

voco. Humm. Así que hay uno de más y el que sobra puede jugar con Vanesa.

—Sí, pero ¿cuál es el que sobra? —preguntó León. Y se dirigió a sus compañeros—: ¿Alguno de ustedes se ofrece como voluntario?

Fabi levantó lentamente la mano, pero León se la volvió a bajar bruscamente.

—No, tú juegas conmigo —contestó enojado, pues sabía perfectamente que Fabi, que era un poco diferente a los demás, me miraba de manera un poco diferente.

—Marlon jugará con ella —decidió sin vacilar. De manera que me hizo jugar con la Fiera que menos me soportaba después de él.

—Bien. Y aún tengo otra cosa para su hija —dijo como si ya no me llamara Vanesa sino algo que había que evitar pronunciar a toda costa—. Le compramos entre todos un regalo de cumpleaños y estaría encantado de poder dárselo ahora.

Sacó un paquete rosa de su mochila negra y me lo entregó.

—Te compramos esto —dijo muy serio— para que te des cuenta de quién eres.

Asentí con la cabeza, incapaz de decir algo. Me había asaltado un presentimiento que no me dejaba tragar saliva. A pesar de todo, abrí el paquete.

Tiré del lazo rosa, deshice la envoltura de papel rosa y apareció una caja de zapatos rosa.

—¿De verdad quieres que la abra? —le pregunté a León.

—Sí —asintió—. A no ser que estés temblando de miedo.

Dio en la herida. Maldición. Donde ponen el ojo aciertan. Pero sí que tenía miedo y con razón. Abrí la tapa y lo que vi adentro me dio en pleno corazón. Era la canallada más grande que jamás alguien me había hecho. Hasta la abuela se quedó sin respiración. En la caja había un par de zapatos rosa de tacón, adornados con lazos rosa y brillantes frambuesas rosas encima. No pude decir nada. Luchaba por contener las lágrimas y las rodillas me temblaban. Entonces, no sé si por hacerme un favor, mi papá nos pidió que saliéramos afuera para jugar el torneo.

UNA CUESTIÓN DE HONOR

El terreno de juego tenía quince metros de largo y ocho de ancho, todo lo que permitía nuestro jardín. Las líneas estaban marcadas muy profesionalmente con yeso y, como metas, mi papá se había provisto de dos porterías de balonmano. El portero sería el jugador con menos talento y los partidos durarían cinco minutos. Como es natural, el torneo lo abría el equipo anfitrión, o sea, Marlon y yo.

Seguía lloviendo a mares. El suelo estaba resbaladizo y las rodillas seguían temblándome. Intenté olvidar los zapatos rosa de tacón pero se me habían clavado como una espina. Dios mío, quizá tuvieran razón todos: la abuela Schrecklich y León y Rocce y Marlon. Quizá una niña como yo no pintaba nada entre Las Fieras. «Sí, maldición, voy a perder», retumbó en mi cabeza mientras el miedo me recorría la espalda. No, no tenía la menor posibilidad. Eso quedó definitivamente claro cuando Fabi y León saltaron al terreno de juego. Qué seguros estaban de ganar. Miré a Marlon buscando su ayuda. Pero ¿por qué se me ocurriría hacerlo? Ni siquiera se molestó en disimular su desgano. No, Marlon no iba a hacer nada por mí. Y, efectivamente, al cabo de siete segundos dejó que Fabi pasara la pelota a León sin moverse. León me intimidó y yo, como una principiante, caí pesadamente de nalgas. Desde el suelo vi cómo León empujaba tranquilamente la pelota sobre la línea de meta.

En el contraataque le pasé la pelota a Marlon, pero éste resbaló, se quedó tirado en el lodo y se limitó a mirar cómo León y Fabi hacían una pared sin dejarme la menor oportunidad.

Después del dos a cero, bajaron el ritmo. Pudieron hacerlo porque a mí me temblaban las rodillas y Marlon fingía que no le salía nada. Arrogantes y con aires de superioridad, León y Fabi aumentaron su ventaja y al final tuve que contentarme con quedar sólo cinco a cero.

En el otro grupo, Rocce y Félix ganaron por poco a Raban y Maxi en un encuentro muy disputado. Después, jugaron León y Fabi contra Joschka y Juli. Un partido importante: si Juli y Joschka perdían, Marlon y yo aún tendríamos oportunidad de quedar segundos. Pero León y Fabi jugaron tan mal que estaban irreconocibles. Al final los dos equipos abandonaron el terreno de juego con un dos a dos arreglado en secreto. A continuación, nos tocaba a nosotros jugar con Juli y Joschka pero Marlon volvió a hacerse el torpe y tuve que conformarme con un empate en el último segundo. Quedamos exactamente en la posición que Las Fieras querían: en último lugar con un gol y un punto.

Yo estaba completamente desanimada y busqué ayuda en mi papá. Pero me bastó una sola mirada para entender que no podía hacer nada por mí. Tenía que arreglármelas sola, pero ¿cómo? Sin saber qué hacer presencié los partidos de los demás equipos. El otro grupo era muy diferente. Jugaban como yo hubiera deseado que se jugara en mi torneo de cumpleaños. Luchaban. No se permitieron ni una sonrisa y al final los tres equipos, Rocce y Félix, Jojo y Markus y Maxi y Raban, obtuvieron los mismos puntos y los mismos goles. Era tan divertido verlos que, por un momento, me olvidé de mi propio desastre. Pero me esperaban otra vez León y Fabi, y Marlon continuaba jugando como si tuviera dos pies izquierdos. El primer gol en contra era sólo cuestión de tiempo y cuando lo marcaron sentí que me invadía la rabia. «Por fin —pensé—, por fin se me ha quitado el maldito miedo». Y entonces me puse las pilas. Me olvidé de Marlon y jugué sola. Llegué a igualar el marcador, pero ahí estaba de nuevo Marlon, el desganado, el cobarde, el que regalaba el partido al rival. Se metió un autogol y ahí se me acabó definitivamente la paciencia.

—¿Qué no tienes idea de lo que es el honor? —le grité—. ¿De verdad quieres perder de esta manera tan cobarde?

Marlon se puso rojo como un jitomate. Estaba avergonzado, eso lo vi en seguida, pero era incapaz de ir contra sus compañeros. León y Fabi aún metieron otro gol y perdimos uno a tres. Seguíamos siendo los últimos.

Así que si tuviéramos alguna oportunidad de llegar a la semifinal dependía del partido entre Fabi y León y Joschka y Juli. Pero León estaba dispuesto a impedirlo. Aunque perdieran ya eran los primeros, y Juli y Joschka, eso era lo que León había planeado, quedarían de segundos. Por eso no hizo nada. Jugó tan mal que hasta a Fabi empezó a darle vergüenza. Cuando Joschka, sí, el pequeño Joschka, le metió un gol entre las piernas a León, Fabi estalló. Tomó la pelota, soltó un trallazo y lo estalló contra el fondo de la red. Aquello era el empate.

—¡Eh! ¿Qué haces? —le gritó León—. ¿Te volviste loco?

—No, es sólo que me parece una absoluta canallada lo que estamos haciendo —le replicó Fabi.

—¿Ah, sí? No me digas —refunfuñó León—. Tú sólo quieres caerle bien. Estás enamorado de ella.

Fabi se puso completamente rojo y sentía una vergüenza terrible pero, a diferencia de Marlon, él sí fue capaz de enfrentarse a León.

—¿Y qué, si... si es verdad? —se desgañitó

tartamudeando—. En... en cualquier caso quiero ganar como es debido. Y no... no como ahora.

En aquel momento mi papá pitó el final. El partido acabó en empate. Así que estaba en nuestras manos ganar a Joschka y Juli y quedar en segundo lugar. Fui hacia Marlon.

—¿Escuchaste eso? —le pregunté con todo el cuerpo temblándome.

Marlon no dijo nada. Ni siquiera asintió con la cabeza. Pero no me desilusioné. Junté todo mi valor y dije:

—Bueno, entonces te lo pido: dame una oportunidad.

Esperé mordiéndome los labios con tanta fuerza que noté el sabor de la sangre. Al final Marlon se movió. Se fue a su lugar, tomó la pelota y cuando vio que no lo seguía gritó:

—¿Qué esperas? Solo no voy a poder.

«¡Uf!», suspiré con una cara radiante. Y así de radiante y riendo estuve todo el partido: me la pasé de fábula. Marlon demostró por fin de lo que era capaz y yo también pude demostrar lo que valía. Juli luchó como un león y Joschka, que tenía seis años, jugó como si fuera mayor. Pero al final no lo lograron y ganamos tres a dos.

—¡Uauh! —grité entusiasmada y Marlon me chocó la mano con energía. Maldición: estábamos en las semifinales y la cara sombría de León no podía hacer nada por impedirlo. Se acercó enojado a Rocce y

Félix, que habían quedado como los primeros de su grupo.

—¿Puedo confiar en que ganes? —le preguntó a Rocce.

—Claro que sí —prometió Rocce y escupió, seguro de sí mismo.

LA VENGANZA ES DULCE

Pero antes de que Rocce pudiera cumplir su promesa, le tocaba el turno al otro encuentro de semifinales, León y Fabi contra Jojo y Markus, y ese partido era como una mecha prendida.

En aquellos momentos León odiaba a Fabi, su mejor amigo. Fabi lo había dejado en evidencia delante de todos y me había dado la oportunidad de llegar a la semifinal. El aire entre los dos era denso como la miel y como no se puede jugar en medio de la miel, Markus y Jojo pronto les sacaron ventaja en el marcador. Al cabo de un minuto ganaban cero a dos y cada vez que León cometía un error le gritaba a Fabi como si fuera éste el culpable. Al final, León se puso a jugar solo y Fabi hervía de rabia. Empezaron a insultarse entre ellos. Tras el cuatro a cero a favor del equipo contrario empezaron a pelearse, revolcándose por el lodo.

—¿Por qué no me pasas la pelota? —gritaba Fabi mientras tumbaba a León de espaldas y se le sentaba encima.

—Voy a decírtelo —le gritó León tirándolo a su vez boca abajo en la hierba y retorciéndole el brazo—. Estás enamorado de ella. Quieres que gane.

—¿Ah, sí? No me digas —refunfuñó Fabi mientras intentaba apartar la cara del lodo—. ¿Y quién está perdiendo ahora contra quién?

León estaba tan enojado que le habría roto el brazo a Fabi.

—Tú contra mí —articuló.

—Sí, ¿y qué es lo que quieres conseguir con eso? —Se burló Fabi—. La única que sale ganando es ella, Vanesa.

—¿Ah, sí? ¿Por qué? —masculló León, que siguió retorciendo el brazo de Fabi hasta que se oyó un crujido.

—Porque ya no podremos ganar —gimió Fabi—. ¿De verdad crees que voy a perder un torneo adrede? Por el amor de Dios, nadie puede estar tan enamorado de alguien.

—¿Hablas en serio? —preguntó León aliviado.

—Sí, maldición —juró Fabi.

Y mi papá añadió:

—Pues van a tener que darse prisa. Sólo tienen noventa segundos y el tiempo corre.

Y entonces el partido dio una vuelta. Fabi y León habían hecho las paces y se entendían sin necesitar siquiera mirarse. Volvían a ser los *Golden Twins*, los «mellizos de oro», el «dúo relámpago», unas máquinas que vencerían al rival. Y en el penúltimo segundo, León recibió el tiro de Fabi con la punta del pie, lanzó una vaselina rara y retorcida pero que llevaba mucho efecto y puso el cuatro a cuatro en el marcador.

De manera que hubo que tirar penaltis. Markus el Invencible ocupó la portería pero, aun reconociendo mi respeto por su talento natural y su imbatibilidad, no tenía la menor oportunidad ante unos rivales como aquéllos, dispuestos a ganar a toda costa. Sus trallazos lo desbordaron tanto que al final Markus ni se movía y Fabi y León llegaron a la final.

Merecidamente, tuve que admitirlo aunque no tuviera ganas de hacerlo. Jugando de aquella manera, Fabi y León eran invencibles. ¿De qué serviría ganarles a Rocce y Félix? Lo único que sacaríamos sería enfrentarnos a León. En efecto, lo estaba viendo como si ya hubiera pasado y alguien lo hubiera filmado. León vendría hacia mí en plan condescendiente, me miraría despectivamente y escupiría. Sí, y entonces diría por segunda vez:

—No estuviste mal, Nessie. Pero por desgracia no es suficiente.

Y entonces él y Las Fieras desaparecerían de mi vida para siempre. Eso es lo que pensaba y lo que hubiera seguido pensando el resto de mi vida si Marlon no me hubiera hecho reaccionar.

—¡Eh!, Vanesa. Viene Rocce dispuesto a cumplir su promesa.

Miré a Marlon desconcertada.

—¿Ya lo olvidaste? Quiere ganarnos. —Sonrió Marlon.

—Y es lo que voy a hacer —replicó Rocce muy serio—. Primero porque es una niña, por muy bien que juegue, y segundo porque las promesas no se rompen.

Yo también estaba convencida de eso, pero Marlon se limitó a reír ruidosamente.

—Ja, pues sólo tienes una posibilidad, Rocce. Aunque me pese, al final serás tú la niña porque vas a perder.

Rocce se puso tan enojado como sólo puede enojarse un sudamericano, pero a mí el humor de Marlon volvió a darme ánimos.

«Rocce, una niña», pensaba cada vez que lo tenía enfrente, y eso me quitó el miedo que me daba su excelente juego. Sin embargo, el resultado colgaba de un hilo y un minuto antes del final Félix, después de un baile de lo más traicionero con una burla divina del brasileño, marcó el uno a cero. Rocce era demasiado bueno. Pero Marlon no se rindió y eso era igual de valioso. Desbarató la jugada que Rocce se proponía, le hizo un túnel y la tiró, después de pasar también a Félix, al fondo de la red. Vaya que era astuto. Y volvió a demostrarlo. Diez segundos antes del final y sin pensarlo, elevó la pelota con la articulación del pie y la estrelló contra el fondo de la red ganándoles a Rocce y a Félix. Aquello era la victoria. No lo podía creer. Vaya día. No hacía ni media hora que Marlon me odiaba y ahora ganaba la semifinal para mí. Y aún pasaron cosas mejores. La abuela Schrecklich salió disparada de la cocina y bajo la lluvia le dio a Marlon un abrazo en rosa.

—Dios mío, Dios mío, criatura, qué feliz me has hecho.

Marlon me miró, como si un chicle rosa gigante le hubiera chupado las mejillas, pero cuando vio mi sonrisa dejó, cortés y valiente, que la abuela lo abrazara.

Rocce se fue del campo disimulando.

Se arrastró como un puma herido hasta León y soltó toda la rabia que le llenaba el alma.

—Ésa es una bruja, te lo aseguro, una bruja. Mira la casa donde vive. Está embrujada. León, te lo advierto, ten cuidado. —Se persignó precavidamente y parecía como si quisiera cubrirse de ajos, de tan confundido y desconcertado como estaba.

Pero esas cosas no afectaban a León.

—Qué tontería, Rocce, no estamos en Brasil. Ni aquí hay brujas ni te ganó esa muchachita. Fue

Marlon. Acabó con ustedes y lo hizo condenadamente bien. —León escupió con todo el desprecio que pudo—. Se los dije: Marlon es un insoportable. Pero no tengas miedo. Ahora soy yo el que te lo promete: contra Fabi y contra mí ni siquiera Marlon tendrá la menor oportunidad. Y tal como lo veo, Marlon juega solo, ¿o es que tú crees que ella cuenta?

Miró a Rocce de arriba abajo, pero éste insistió:

—A pesar de todo, te lo advierto: ten cuidado.

León puso los ojos en blanco.

—Vamos, Fabi, dejemos a Rocce con su confusión y volvamos a poner las cosas en su lugar.

León y Fabi se dirigieron a sus puestos sobre el terreno de juego, animados por el resto de Fieras. En cambio, a Marlon y a mí sólo nos apoyaba una fanática pero, se los aseguro, valía al menos por mil. Por increíble que me pareciera, cuando Marlon y yo pisamos el campo para disputar la final, una voz que yo conocía muy bien gritó a nuestras espaldas:

—Vamos, acaben con ellos, mándenlos a la Luna de una patada y hagan que vuelvan a bajar —gritó la abuela Schrecklich pegando saltitos como un animal salvaje.

Mi papá pitó el inicio. Los jugadores empezamos a repartirnos entradas sin compasión y no hubo quien se salvara de revolcarse de dolor unas cuantas veces.

Pero, lejos de asustarnos, eso aún nos picó más. En el tercer minuto de juego, Fabi hizo un tiro a la escuadra de nuestra portería, pero Marlon pudo despejar el esférico con la punta del dedo medio. Logré conectar, a tres metros de la portería, un tiro a media vuelta que superó a Fabi. Cuando ya entraba cerca del poste derecho, León salió de las profundidades como un delfín y desvió la pelota. Así sucedieron los contraataques hasta muy poco antes del final del partido. Faltaban unos segundos cuando, desde la banda, Fabi bombeó el balón por encima de Marlon hacia nuestra área de penalti. Sabía muy bien que ahí, al acecho, estaba León: aquél era su reino. Lo bueno fue que el pase iba demasiado alto y fue a caer detrás de León. Respiré aliviada. El peligro había pasado. Pero León se dio la vuelta, elevó un poco la pelota y la tiró de chilena en dirección a la portería. Me agarró desprevenida y tuve que tirarme a la derecha. Volé por los aires estirándome tanto como pude y entre los gritos de júbilo de la abuela rechacé la pelota con los puños al terreno de juego. Allí la recogió Marlon y la envió directamente a la portería contraria, dibujando un arco alto. Estaba vacía. Nadie podía parar el balón y cayó en picada sobre la portería.

—Oh, Dios mío —gritó la abuela Schrecklich tapándose la cara con las manos. Pero la pelota rebotó en el poste y mi papá silbó el final.

El partido había terminado y pasábamos a lo que yo quería evitar a toda costa: los penaltis. Maldición, ¿por qué había tenido que pasar eso? ¿Acaso no habían demostrado Fabi y León en la semifinal que eran invencibles? ¿Y no era precisamente en los penaltis donde yo había fallado el día del entrenamiento de prueba? No, no quería. Por eso le pedí a Marlon que cobrara los tiros. Pero él se negó y me exigió algo más: que yo me pusiera de portera.

—No, eso no pienso hacerlo —repliqué. Marlon se encogió de hombros. Seguro que lo había aprendido de ese entrenador suyo, Willi.

—Entonces siempre dirán que fui yo el que gané y no tú —dijo. Y después marcó esa media sonrisa que sólo él sabe poner. Oh, cuánto odié esa sonrisa en aquellos momentos. Pero no había nada que hacer. Dejé de resistirme y me coloqué entre los postes.

León, que era el primero en tirar, colocó la pelota, tomó tres pasos de vuelo y metió la bola directamente por la escuadra derecha. Ni siquiera reaccioné. Maldición, y el próximo me tocaba tirarlo a mí.

Por supuesto, fue León el que se dirigió a la portería. Cerré los ojos, maldije el entrenamiento de prueba y corrí insegura. Burlé con la izquierda y tiré duramente la pelota con el empeine exterior al poste derecho. Funcionó. Sí, esta vez me salió bien, pero ahí estaba León, que atrapó la pelota con seguridad.

—¿Es el único truco que conoces? —Sonrió irónicamente al pasar por mi lado—. En el entrenamiento lo fallaste.

Yo quería abandonar todo, pero Marlon no me dejó.

—Si paras éste, te prometo que ganaremos —dijo en un tono tan convincente que me habría vendido la idea de que dos y dos son cinco. En cualquier caso me dirigí de nuevo a la portería a la espera del penalti de Fabi, que estaba muy seguro de meter gol. Se le notaba a leguas: nada de dudas, ni pizca de miedo a fallar. Con esa seguridad tomó vuelo y con esa seguridad tiró. De nuevo vi aproximarse la pelota y de nuevo fui incapaz de reaccionar. Sólo me estremecí asustada cuando la pelota rebotó en el travesaño y regresó al campo. Eso significaba que los penaltis seguían. A continuación, Marlon tiró con sangre fría y sin tomar impulso.

Sólo vaciló una fracción de segundo, el tiempo necesario para que León se tirara a la derecha: entonces Marlon empujó la pelota sin la menor dificultad hacia la izquierda y empató a uno.

León hervía de enojo, así que dejó tirar a Fabi. A partir de ese momento empezó «la muerte súbita» y cada penalti fallado podía significar la derrota.

Fabi también lo sabía y había aprendido la lección de su primer tiro. Esta vez corrió muy concentrado y chutó igual. No se arriesgó en lo más mínimo. Sólo confió en la firmeza de su propio cañonazo. Pero adiviné por qué lado me lo tiraría y me lancé bien. Me estiré a tope y pude rozar la pelota con la punta de los dedos. Pero el tiro era demasiado fuerte. El balón botó sobre la línea y al final entró. León y Fabi volvían a tener ventaja y si Marlon fallaba el siguiente penal, todo estaría perdido.

Pero Marlon conservó la sangre fría. Esta vez optó por correr. Se dejó de tonterías y metió el balón rápido y seco por la esquina. Dos a dos. Ahora todo dependía de León y de mí.

Volví a intentar convencer a Marlon de que se pusiera entre los postes, pero volvió a negarse.

—¿Qué te pasa? —me preguntó—. Casi atrapaste la pelota de Fabi. ¿Te imaginas, te imaginas lo que haría León si paras su tiro? —Me sonrió y entonces dijo la frase decisiva—: Vamos, tú puedes.

Pasados diez segundos, León colocaba la pelota sobre el punto de penalti. Corrió. Intenté adivinar su intención. ¿Otra vez arriba a la derecha, como antes, o abajo a la izquierda, como haría cualquier diestro que estuviera nervioso e inseguro? Pero ¿estaba León nervioso? No lo sabía. No, no lo creía. Por eso volé antes de que tirara hacia la escuadra derecha.

Jugué todo a una carta y, maldita sea, acerté. Rechacé la pelota con los puños, muy sobrada.

León se quedó como piedra. No lo creía. Nadie parecía creerlo. Hasta la abuela Schrecklich se quedó muda. No, ni siquiera estaba. ¿Tan poco confiaba en mí?, ¿y yo? ¿Qué confianza tenía yo en mí misma? Había parado el penalti y ahora todo estaba en mis manos. Podía ganar el torneo sola, como Marlon me había asegurado. Lo miré y asintió con la cabeza, pero vi que también estaba nervioso. No se me escapó que estaba mordiéndose el labio inferior.

Insegura y nerviosa, coloqué la pelota sobre el punto de penalti. Temblaba bastante mientras lo hacía. Retrocedí para tomar impulso y entonces me volvió a venir a la memoria todo lo que habría sido mejor olvidar justo en aquel momento. Recordé el entrenamiento, lo reviví de principio a fin: de nuevo resbalé y caí en el lodo, de nuevo apareció León frente a mí y escupió, de nuevo me sonrió con todo el desprecio que pudo y de nuevo dijo aquella frase: «¿A ti qué te parece? ¿Pasaste la prueba?».

Ni siquiera veía la portería, un León gigantesco, que me sonreía irónicamente, la cubría por completo. ¿Cómo se suponía que iba a meter un gol? Pero... no tenía elección. Lentamente y con las rodillas temblándome empecé a correr. «No, puedo», pensé. Pero entonces me detuvo la abuela Schrecklich, que salía de la cocina con algo.

—Un momento, nena. —Me tomó y me puso algo delante de mi cara, algo igual que ella: absolutamente rosa—. Un momento. Para tirar este penalti ponte esto.

Bajé la mirada para ver lo que llevaba en las manos y vi los zapatos rosa de tacón con las resplandecientes frambuesas encima.

—¿Te acuerdas de lo que te dijo cuando te los dio? —me preguntó la abuela Schrecklich bufando de rabia—: «Para que te des cuenta de quién eres», te dijo. Sí, eso es, ¿y sabes lo que digo yo ahora? —me preguntó aún más enojada—. Que no tiene ni la más ligera idea de quién eres. Así que, adelante, ¿qué estás esperando? Demuéstraselo de una vez.

Pero no me moví. Seguía aturdida. Tuve que pasar la mirada de la abuela a los zapatos rosa de tacón tres veces para comprender a qué se refería. Entonces me apareció una sonrisa en la cara, una sonrisa de confianza en mí misma, la mejor sonrisa que existe: seguro que la conocen. Me quité los tacos de futbol y me puse los zapatos rosa de tacón. Me dirigí al punto de penalti, volví a colocar la pelota y calculé el tiro.

León no tenía la más ligera idea de lo que iba a pasarle. En eso la abuela Schrecklich tenía razón. León esbozó una sonrisa idiota que, con toda seguridad, ya no era de confianza en sí mismo. Era una sonrisa de «no sé qué pasará pero tú tranquilo». Y con ella en la cara esperó mi tiro.

Yo sabía perfectamente lo que hacía. Corrí, hice un burla con la pierna izquierda y con el empeine exterior de mi zapato derecho rosa de tacón le pegué —no precisamente como una niña rosa sino como una niña imparable— al balón y la estrellé contra el fondo de la red. Inmediatamente di un gran salto y grité de pura alegría. Había ganado mi torneo de cumpleaños y le di una lección a Las Fieras. Troté hacia la abuela Schrecklich, la tomé de las manos y no paramos de girar hasta que nos mareamos. Después me abracé a mi papá y le di varios besos. Y para acabar me acerqué a Marlon, que retrocedió precavidamente un par de pasos ante tanto entusiasmo.

—Gracias —le dije con expresión radiante.

Pero el aspecto de Marlon no era el de vencedor de un trofeo. Incluso retrocedió otro paso.

—Qué bien. Bueno, ya me tengo que ir —contestó.

Y entonces me di cuenta de que era el último invitado que quedaba. Todas las demás Fieras habían desaparecido sin dejar rastro, como si la tierra se los hubiera tragado.

LA VENGANZA TE HACE SENTIR SOLO

Aún tuve tiempo de ver a Marlon tomar su bici del suelo y desaparecer del jardín. Ayudé a mi papá y a la abuela Schrecklich a recoger los desperdicios de mi fiesta de cumpleaños. Arreglamos el jardín y fuimos a la cocina sin decir una palabra, cuando acabamos cada uno se fue por su lado buscando algún sitio donde estar a solas: teníamos que pensar en lo que había pasado. La abuela Schrecklich se sentía mal porque creía que se había excedido en la fiesta. Mi papá sabía que tendría que cumplir su promesa y volver a Hamburgo. Y yo, en mi recámara, le daba vueltas en la cabeza a todo lo que pasó.

«La venganza es dulce —pensé—, pero también te hace sentir solo». En efecto, había dado una lección a León y a Las Fieras. Los había vencido y les había demostrado que era tan buena como ellos. Pero ¿qué gané con eso? Al mismo tiempo los había perdido. Al marcar el penalti con los zapatos de tacón había tensado demasiado el arco y lo había roto. Aquella humillación era demasiado grande para Las Fieras y mi sueño de jugar con ellos se había estropeado para siempre. Maldición. Y al día siguiente se acababan las vacaciones de verano. Al día siguiente volvería a verlos a todos. A partir del día siguiente y durante un año estaría todos los días de clase con ellos. No. No podía ser. Lo único que podíamos hacer era volver a Hamburgo. Sí, ese mismo día. Mi papá me lo había prometido. Pero por mucho que lo deseara no acababa de sentirme bien.

Entonces alguien llamó a la puerta y entró la abuela Schrecklich.

—Dios mío, Dios mío, nena, qué día —gimió sentándose a mi lado en el colchón—. Si lo hubiera sabido me habría quedado en casa. Soy demasiado vieja para estas cosas.

Me miró de reojo y al ver lo desesperada que yo estaba, sonrió como nunca lo había hecho. Ella también se dio cuenta.

—Perdóname, Vanesa, pero esta sonrisa es por un regalo que hoy me hiciste.

Me dejó completamente impactada. Su sonrisa era fantástica, así que ¿cómo podía regalársela yo, que estaba tan desesperada?

—Espera, abuela. —Levanté las manos y me acordé de cuánto había querido cambiarme desde que vine al mundo—. Por favor, no te hagas ilusiones, ¿me entiendes? Sólo porque hoy las cosas no salieron precisamente bien, no me convertí en una chica como tú quisieras.

—De eso no tengo la menor duda —gruñó—. Y si te conozco bien, no se te pasa por la cabeza cambiar de deporte, ¿o me equivoco? —Me miró alzando las cejas. La cosa se ponía tensa—: Dios mío, Dios mío, ¿qué clase de deporte es el futbol? Si lo hubiera sabido antes, Dios mío, Dios mío, criatura, quizá yo misma me hubiera comprado unos tacos rojos. —Volvió a esbozar aquella sonrisa y me abrazó—. Y en cuanto a los otros zapatos, no le des más vueltas: les pagaste con la misma moneda. No sólo eres una niña capaz de jugar futbol tan bien como ellos. No, eres algo más: eres peligrosa e indomable.

Me abrazó muy fuerte contra su pecho rosa y por primera vez me di cuenta de lo fantástica que era. La abuela Schrecklich volvió a sonreír y me contagió su sonrisa. Era una sonrisa de «recuperé el ánimo». Y con aquella sonrisa saludamos a mi papá, que entraba justo en ese momento.

Entró sin tocar la puerta y, de un humor terrible, empezó a meter todo lo que encontraba en una maleta.

—¿Qué haces? —le pregunté.

—Las maletas —refunfuñó.

—¿Las maletas? ¿Por qué? —preguntó mi abuela y me guiñó el ojo divertida.

—Nos vamos a Hamburgo esta misma noche —gruñó.

—¿A Hamburgo? ¿Para qué? —seguí el juego.

—¿Para qué? ¿De qué estás hablando? ¿Si me entienden, ustedes dos? —rezongó mi papá y me miró—. Te lo prometí. Ya encontré un agente inmobiliario para la casa.

—Ah —murmuré—. Qué lástima. No quiero volver a Hamburgo. Mañana voy a ir a la escuela de aquí. Soy como soy.

Le guiñé un ojo a mi abuela y la ayudé a levantarse. Rodeamos a mi papá y, por segunda vez aquella tarde, pusimos orden: vaciamos las maletas de todo lo que mi papá ya había empacado.

SOY COMO SOY

Al día siguiente fui a la escuela en la bici. A pesar de que hacía un día cálido de finales de verano, llevaba bien puesto el gorro de la sudadera. Siempre hacía eso cuando estaba insegura pero decidida a todo y por eso no vi a aquel imbécil hasta que lo tuve encima. Había dejado la bici encadenada a un poste de luz y me dirigía hacia el patio de la escuela cuando apareció como surgido del suelo. Era fuerte y gordo y los ojos le centelleaban como rayos láser sobre las mejillas gordinflonas. Llevaba una camiseta con la foto de Darth Vader y respiraba como una ballena vieja. O quizá el ruido venía de la cadena de bici que acariciaba un amigo que tenía detrás.

«No, por favor, no —fue lo primero que pensé, y en seguida—: Parece que Las Fieras no son lo peor de este lugar».

—Mira, ¿qué es lo que encontramos? —dijo el tipo de la camiseta Darth Vader—.

Un corderito con piel de lobo, una niña que se viste como niño. Una gatita vestida de leopardo. ¡Uh! —Sonrió siniestramente y me quitó el gorro de la cara—. Y la gatita no sólo es nueva: también es guapa.

—Algo que no se puede decir de ti —repliqué en el tono más frío que pude—. Pero quizá olvidaste comerte al Coco.

El tipo de la camiseta de Darth Vader ladeó la cabeza para pensar mejor, pero no lo logró. No había entendido ni jota.

—Da igual. —Escupió sobre el piso—. Normalmente exigimos un tributo de los nuevos. O sea, dinero, ¿sabes lo que quiero decir? Pero contigo voy a ser como Robin Hood y te dejaré el camino libre por, digamos, un beso.

—Un beso —repetí—. ¿En serio? Y, claro, los dos, tú y tu amigo, el del collar de perro, quieren uno.

—Es una cadena de bici —murmuró Darth Vader amenazadoramente—.Y además no somos sólo dos.

Después de decir esto tronó los dedos y aparecieron sus cómplices zumbando a su alrededor como enormes moscas. Eran al menos siete y cualquiera de ellos parecía que había salido de una película de terror para mayores de edad. Mi situación se convirtió en desesperada cuando, como era de esperar, Darth Vader empezó a moverse. Se me acercó pesadamente, como un coloso de Rodas zombie, y sus amigos siguieron su sombra como cucarachas. Sólo me quedaba una defensa: soltar unas cuantas amenazas vacías y esperar que la inteligencia del enemigo no le bastara para darse cuenta del poste de luz. No es que tuviera miedo de la inteligencia de Darth Vader pero ¿cómo iba a ocurrírseme algún truco estando en grave peligro de muerte? ¿O creen que alguien sobreviviría un microsegundo a un beso de Darth Vader?

—Maldición, te lo advierto —bufé—. No me toques.

Y en ese mismo momento pensé: «Vaya, qué porquería de amenaza». A pesar de eso, y aunque estaba preparada para lo peor, apreté los puños y la repetí:

—Te lo advierto. No me toques.

Y entonces se produjo un milagro.

El gordo Darth Vader tuvo un escalofrío que se extendió a sus amigos. Por un momento se estremecieron como ancianos temblorosos, pero en seguida empezaron a maldecir y exclamaron algo así como:

—Volveremos a vernos. Puedes apostar lo que quieras. —Luego dieron media vuelta y se fueron.

Me quedé mirando mis puños sin entender nada.

—Lo soñé —murmuré.

—No —dijo una voz detrás de mí—. Por desgracia son reales: se llaman Michi el Gordo y sus Vencedores Invencibles.

Seguí la voz y vi a León, que estaba junto con las demás Fieras formando un muro a mis espaldas.

Ahora sabía de quién había escapado Michi el Gordo.

—Gracias —dije aliviada.

Pero León no contestó. Se limitó a asentir en silencio y Marlon tuvo que darle un codazo para que siguiera hablando.

—Ejem, olvídalo. No necesitas darnos las gracias —se apresuró a decir León obedientemente—. Al menos ahora ya sabes que hay cosas peores que nosotros.

Después de decir estas palabras ya se iba, pero Fabi lo detuvo.

—León, ¿no se te olvida algo?

—Sí, ejem, no, no sé —titubeó León, y Marlon tuvo que volver a darle un codazo—. ¡Ay!, está bien, está bien —replicó rebuscando en su mochila, de donde sacó un paquete blanco—. Toma —me lo puso debajo de la nariz—. Estamos en paz, ¿no?

Tomé el paquetito sorprendida y León se fue echando chispas. Dio tres pasos y se dio la vuelta:

—¡Ah, sí! Y para que lo sepas de una vez por todas. Aunque seas una niña, eres, eres..., eres..., eres una verdadera Fiera.

Y se fue a grandes zancadas. Los demás se quedaron y formaron un círculo a mi alrededor. Abrí lentamente el paquete y saqué una cosa negra, algo parecido a una camiseta. La desplegué y no podía creer lo que vi: una flamante camiseta de Las Fieras donde había estampado un número 5 con la palabra «Fiera» debajo y, encima «Vanesa la Intrépida».

LAS FIERAS

Genial. Al fin lo había conseguido: Vanesa la Intrépida, una Fiera más. Me sentía como un hijo de campesinos siendo de repente caballero. En aquel momento supe, como si estuviera escrito en alguna parte, que sería la primera mujer de la selección nacional masculina. Sí, y sigo sabiéndolo. Por eso ahora tengo un poco de tiempo para ustedes. Pero ¿qué era lo que quería? ¡Ah, sí! Tenía que contarles algo sobre Las Fieras.

Bueno, ahora ya los conozco, pero ¿por quién empiezo? Humm, no es que esté muy segura, pero ¿por qué no? Hay uno que se llama Fabi. Es el

defensa derecho más rápido del mundo y el más valiente entre miles. De verdad, se los aseguro. Y hasta se interesa un poco por las niñas. Pero, para que se enteren, Fabi entiende tanto de niñas como un hipopótamo de paracaidismo. Marlon y León son diferentes. Esos dominan.

¡Y cómo! Son lobos solitarios en la tundra, caballeros que enamoran ninfas. Por desgracia, ni Marlon ni León han oído hablar de las ninfas. Y si oyeran hablar de ellas les prestarían tanta atención como a las flores. Cuando León y Marlon ven un campo lleno de flores sólo piensan una cosa: ¿estorbarán para jugar futbol?

Félix el Torbellino es absolutamente serio y terriblemente gracioso. Nunca he conocido a nadie que piense cosas tan divertidas para lo serio que es. Pero me cae bien y lo quiero mucho.

Igual que a Jojo, el que baila con el balón. Jojo es amigo mío, aunque puede que él aún no lo sepa.

Y no lo es porque viva en un internado o porque su mamá tome demasiado, sino por ser como es. Se lo veo en sus ojos profundos y bondadosos: puedo confiar en él al cien por ciento.

Y lo mismo puede decirse de Raban el Héroe. Tiene un corazón tan grande que se le sale, igual que los ojos detrás de los lentes de fondo de botella que lleva. Por eso fanfarronea un poco y por eso también deja que lo atormenten las tres hijas de las amigas de su mamá. Al menos una vez a la semana tiene que dejar que aquellas peluqueras de guardería lo dejen hecho un desastre. Me parece que voy a hacer que lo dejen en paz. Uno sólo puede deshacerse de una maldición con una contramaldición. ¿Se imaginan lo que pasaría si Raban y yo agarráramos a esas tres niñitas con cara de perro y les explicáramos las ventajas de un peinado a lo David Beckham?

Entonces, quizás Raban ya no estaría tan convencido de que las niñas son perversas. Al menos no todas.

También puede que alguna vez hable con el papá de Markus de por qué quiere convertir a su hijo, el Invencible, el mejor portero del mundo, en un golfista profesional.

Sí, de pronto son tantas las cosas que sueño con hacer. Me encantaría ir con Juli Huckleberry Fort Knox a una de sus excursiones secretas.

Tengo curiosidad por saber cómo sería una noche entera discutiendo con Maxi Futbolín Maximilian, el niño con el tiro más potente del mundo, sobre la selección nacional. Porque él siempre está callado, hasta cuando habla por teléfono.

Me gustaría bailar samba con Rocce, el supertalento brasileño. Y me gustaría sentarme sobre el pasto del campo junto con las otras Fieras y tomar un jugo de manzana mientras Willi nos cuenta sus historias.

Sí, Willi es el mejor entrenador del mundo, algo que sufrí en mi propia carne. Y, por si les interesa, además de ser el mejor entrenador del mundo, entrena al mejor equipo que hay en el mundo hasta el momento.

Al menos, yo no jugaría en otro y, mientras Las Fieras existan, la selección nacional, les aseguro, tendrá que esperar.

FIN
del tercer
libro

LOS MEJORES TRUCOS DE LAS FIERAS

Existen muchas y variadas publicaciones sobre futbol: libros, periódicos, revistas, juegos de computadora... En todos ellos hallarás magníficas jugadas y consejos útiles para la práctica de este deporte.

Este ejercicio lo utilizó Willi para entrenar a Las Fieras antes del partido contra el Gordo Michi y su equipo los Vencedores Invencibles. Willi quería enseñar a Las Fieras que debían confiar en su intuición.

Este truco es muy difícil pero por lo menos deben intentarlo una vez. Consiste en organizar un recorrido a lo largo de un terreno plano y colocar en él todo tipo de obstáculos. Pueden poner cajas de cartón vacías, atar un pedazo de cuerda de lado a lado a la altura del tobillo,

escarbar un agujero en la tierra y llenarlo de agua para obtener un charco lodoso o incluso pueden poner una alberca de plástico llena de agua.

Para empezar el ejercicio deben realizar varias veces el recorrido sin el balón, esquivando cada uno de los obstáculos. Cuando ya lo conozcan a fondo entonces es hora de realizarlo con el balón en los pies, sin perderlo de vista. Así varias veces, hasta que ya sepan cuáles son los movimientos que deben hacer para llegar a la portería con el balón y se crean capaces de realizar el recorrido incluso con los ojos vendados.

El último paso es el más difícil pero también el más divertido. Llegó el momento de vendarse los ojos y demostrar si realmente dominan el balón incluso a ciegas. Empezamos poco a poco intentando recordar dónde está cada obstáculo y procurando esquivarlo sin chocar, mojarse el pie o caer de nalgas.

Como no verán nada tendrán que prestar mucha atención al resto de sus sentidos y sobre todo a su intuición. Las risas y los comentarios de los compañeros mientras realizan el ejercicio serán una buena pista para no dar un paso en falso.

Poco a poco irán aumentando la velocidad para que suba el nivel de dificultad.

Con este ejercicio se darán cuenta de que los errores pueden ser divertidos y sobre todo ¡que a partir de ellos es como más se aprende!

RRRAAAA
5
4
1

Joachim Masannek
nació en 1960; estudió filología alemana y ciencias audiovisuales. Ha trabajado como camarógrafo, escenógrafo y guionista en diversas producciones de cine, televisión y estudios de grabación. Es el entrenador de las verdaderas «Fieras» y el responsable del libro para niños y la película con el mismo nombre. Es el padre de dos jugadores de futbol: Marlon y León.

Jan Birck
nació en 1963, es ilustrador y caricaturista, colaborador en películas de animación y director artístico en publicidad y películas de animación. Vive con su mujer, Mumi, y sus dos hijos jugadores de futbol, Timo y Finn, entre Múnich y Florida.

Las Fieras Futbol Club: Vanesa la Intrépida,
de Joachim Masannek
se terminó de imprimir y encuadernar en mayo de 2013
en Quad/Graphics Querétaro, S. A. de C.V.
lote 37, fraccionamiento Agro-Industrial La Cruz
Villa del Marqués QT-76240